書く英語・基礎編

松本亨著

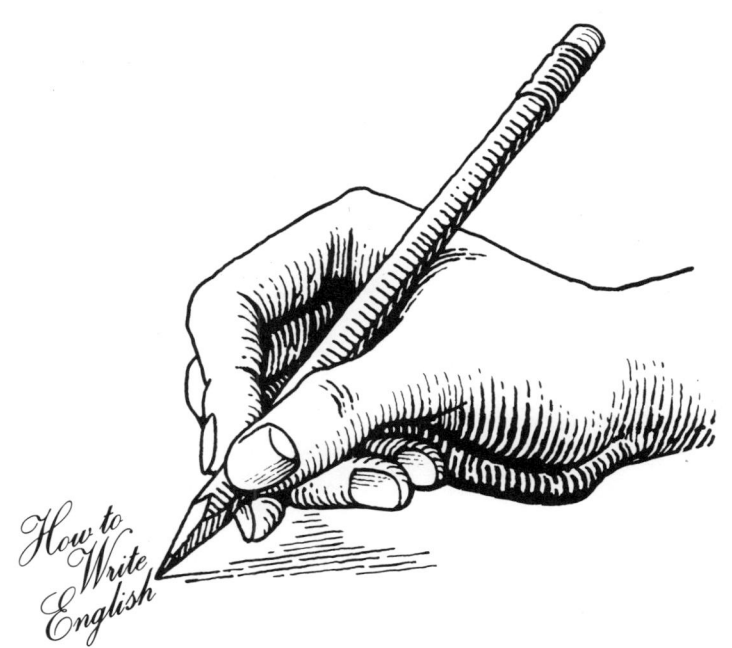

英友社

まえがき

　英語を教えていて特に気がつくことが一つあります。それは、会話がかなりできる人でも、いざ英語を書く段になると、どうもうまくいかないということです。これには理由があります。会話には words や expressions のほかに、声があり、顔の表情があり、これらが感情の交流などと相まって、言葉の不足を補ってくれます。その上、ちょっと間違っても、聞き返したり言い直したりできるし、言った言葉は音声とともに、消えてなくなってしまいます。ところが、書く英語はそうはいきません。書いたものはいつまでも残っています。会話のような「やりとり」がありません。一行目にわけのわからないことを書いてしまうと、読む方は、二行目の文も理解できないということがあります。すなわち、書く英語の場合、犯した間違いは、話す英語の場合より害が大きいということです。

　今までのわが国における書く英語の学び方は、「英作文」または「和文英訳」と称して、translation が主でした。ところが、この translation というものは、往々にして直訳に終り、**日本文の意味を正確に、正しい英語で伝える**、ということでは成功していません。私のところに添削を依頼してくる自作の英文の中には、まず日本語で考えて、それを一つ一つ丁寧に英語に直したと思われるような、英語演説の原稿や英文の手紙の下書きがあります。「私の家族は7人で、ほかに犬が一匹います」という意味のことを、"My family is seven and besides a dog is." と書いたのがありました。私は、これは無理もないことだとは思いますが、残念ながら、これでは英語を母国語とする人たちには何のことかわからないでしょう。この文は "There are seven of us in our family and we have a dog, too." と訂正してお返ししました。これはごく卑近な一例にすぎません。このような日本語的「英語」が街にはんらんしています。"Give us your cargo and we will send it to every direction."（「あなたの荷物は私たちにおまかせください。全国どこへでもお届けいたします」を英語に訳した）という看板を見た外国人が、荷物を四方八方に分散されると早合点して青くなったという話があります。これなども、日本文をそのまま訳したために起きた悲喜劇です。

　私が自分のために採り入れた学習方法は、translation を全く離れたものでした。端的に言うならば、この方法は、「英語で考えながら英語で書く」ことでした。このやり方は相当な時間と労力が必要です。この方法が一番確実なのですが、初心者にそれを要求するのは無理だと思いますので、この本ではその中間を採って、意味を伝える方法、すなわち interpretation を主眼としました。

　この本で「書く英語」を一応マスターしようとしている方は、中学三年卒業程度の基礎的な英語を既に修了しているものと、私は考えています。そういう方々にとって、これが今まで習ってきた英語の復習や整理となって、次の段階へ進みたいという意欲の源泉になることを強く希望しています。さて、この本の内容とその使い方について簡単に申しあげます。最初の部分は、つまらないと思うほど幼稚です。しかし、その幼稚な部分も一つ一つやっていってください。大体、各レッスンごとに練習問題が出ていますが、これも一つ残らず書いてみてください。解答を巻末に載せてありますから、完全にできたと思ったときでも、一応参照していただきたいと思います。

　だんだん難しくなってくると、皆さんの解答と私の解答とがだいぶ違ってきたり、予期していなかった解答にぶつかることがあるかもしれません。「こんなことは、この本には今まで書いてなかった」と、思わずつぶやく場合もあるかと思います。この点は、読者の寛大なお心に甘えて、許していただくよりほかに方法はありません。私としては、読者が中学校三年生を終えた程度以上の学力を頼りにしているのです。また、学校の教科書には全く無かったことが問題の中で要求されても、私は、読者がそれをきっとどこかで聞いたか見たのではないかと信じて、あえて使ったところもあります。そしてその結果、今まで知らなかったことが解答に出てきたら、それは一つプラスになったと思って受け入れてください。途中と最後に、総合練習というかなり長

まえがき

い練習問題があります。そこでは、読者に特にその気持で取り組んでいただくことを希望します。

ここで一言お断わりしておかなければなりません。練習問題の解答は、先ほど「私の解答」と申し上げましたが、実際には英友社の下村孝一君が書いたものです。それを、私と Carol Adams さんとで、全文に目を通しました。下村君は例題に忠実に英文を書いてくれました。Carol さんと私と意見の合わないところは、私の意見を採用させていただきました。Carol さんの考えているような英語は、応用編でゆっくりやることにして、それまで取っておきます。

大切なことが後回しになりましたが、この本の狙い、すなわち、私の言いたいことを、ここでかいつまんで申し上げます。それは「正しい英語を書くためには、まず正しい英語をよく見よ」ということです。そこでこの本では、こういう日本文はこう訳すのだ、という言い方をせずに、「英語にはこういう文の構造がある。これを使えばこういうことが言えたり、書いたりすることができる。この英語の文をまずつかんで、絶対に離すな」という考え方です。ですから、日本文の中の動詞が、英語にすると形容詞になったり、主語のないところに主語が出てきたりすることなど、よくあります。そんなときには、「英語ではこう書くのだな」と思って、そのまま呑み込んでください。さもないと、疑念ばかり頭に浮んで、肝心なことが見失われてしまう恐れがあります。

英語を書くことの楽しさは、英語を話す以上のものがあります。「いったんこの道に入ったら一生やめられない」とは、だれしも言うことです。読者の皆さんに、その喜びを一日も早く味わっていただけるよう願っています。

なお、本書が成るに当っては、Mrs. Schaafsma と恩師の高野蕉延先生のご協力をいただいたことを感謝申し上げます。

1962年3月　　　　　　　　　　　　　　　　　　　　著　者

第2次改訂版の序

　初版が昭和37年（1962年）に出版されて以来（1978年第一次改訂）、英語らしい英語を書くための最高の入門書として、また英語を真剣に学びたいと願う数多くの英語学生の必携の書として、実に38年間に渡って『書く英語・基礎編』は、65の版を重ねてきました。一方で、最近のインターネットの著しい普及により、電子メールで世界中の人々との交信が容易になり、世界語としての英語の重要性は増すばかりです。それとともに、会話力もさることながら、英文をペンで書くだけでなく、ワープロで書く（入力する）能力も要求されるようになりました。

　ひいては、変動激しい現代に対応できるよう、読者からの強い要望もあり、本書の抜本的な改訂が迫られていたのも事実です。しかし、日本の旧来の後進的な印刷技術では、一英語学習書を改訂するには、生産コストが掛かりすぎ、採算を度外視する覚悟をしなければなりませんでした。

　ところが、その状況が大いに変わりました。それは、パソコンによる画期的と言える desktop publishing（略称 DTP）の実用化で、特に日本語対応のDTPソフトが出回るようになって、日本語と英語またはその他の外国語との複雑な混合文が、パソコンの画面上で実にたやすく制作・編集できるようになったからです。当然コストも下がり、時間も大幅に短縮されるようになりました。

　よって、本書は全文が DTP によって版が組まれ編集されました。活字を大きくして読みやすく、また学習しやすいようにレイアウトなどにもいろいろ配慮しました。

　最後に、本書に使われている和文と英文は、すべて現代文に即した用字用語に直し、通貨の単位や若い人になじみのない固有名詞なども、必要に応じて現状に合わせました。しかし、原文を貫く故松本亨先生の独特の指導法と、人柄からにじみ出る特徴のある文体は、そのまま生かしました。

2001年　　　　　　　　　　　　　　　英友社社主　折登　洋

目　　次

まえがき 3
第 2 次改訂版の序 7

第 1 部　　単　文　　　　　　　　　　　　　　17

1. 文の始めと終わりはどうするのか
    Lesson 1 17
    Lesson 55 63
2. 英語は「I」(私) が中心
    Lesson 2, 3 .... 17, 18
3. 姓名の書き方
    Lesson 4 18
4. 「私」と単数
    Lesson 5 18
    Lesson 16 29

    § 英語の姓名 19

5. 文の基本は 3 種類／敬称：
    Mr., Mrs., Miss, Ms., Dr., Prof., the Honorable,
    the Reverend
    Lesson 6, 7, 8 .... 20, 22, 23
    Lesson 11 25
6. am, are, is
    Lesson 8 23
7. it, this, that, he, she の使い方
    Lesson 9, 10 24
    Lesson 33 41

9

書く英語・基礎編

8. 状態を表す文
    Lesson 11 .... *25*
9. very を使って文を生かす
    Lesson 12 .... *26*

   § 練習のまとめと復習
    Lesson 13, 27, 30, 40, 49 .... *27, 35, 38, 45, 56*
10. 行動や行為や動作を表す文
    Lesson 14, 15 .... *28*
11. 「a」(冠詞) のいらない名詞
    Lesson 16 .... *29*
12. have の使い方
    Lesson 17 .... *30*
    Lesson 32 .... *40*
    Lesson 74 .... *86*
13. want の使い方
    Lesson 18 .... *31*
14. 単数と複数
    Lesson 19, 20, 21, 22, 23, 24, 25 .... *31〜33*
15. an の使い方
    Lesson 26 .... *34*
16. and の使い方
    Lesson 28 .... *36*
    Lesson 54 .... *62*
17. 形容詞を加えて文を生かす
    Lesson 29, 30 ....., ... *37, 38*
18. 数の書き方と数え方
    Lesson 31 .... *39*
19. 所有を表す my, your, his, her, their, its, 's
    Lesson 34, 35, 36, 37 .... *41〜43*
20. the の使い方
    Lesson 38 .... *43*

目　次

21. of の使い方
    Lesson **39** *45*
22. 第三者が単独で行動する場合は注意
    Lesson **41** *47*
    Lesson **69** *77*
23. 度合いや程度を表すいろいろな言葉
    Lesson **42, 43, 44, 45** .... *48 ～ 50*
    Lesson **52** *61*
24. 便利な there is, there are
    Lesson **46** *51*
25. in the morning, at noon などの表し方
    Lesson **47** *54*
26. above, by, on, under の使い方
    Lesson **48** *55*
27. 頼んだり命令する文の作り方
    Lesson **50, 51, 52, 53, 54** .... *60 ～ 62*
    Lesson **114** *139*
28. to の使い方
    Lesson **53, 54** *62*
    Lesson **83** *98*
29. ．，；：？！""''などの記号
    Lesson **55** *63*
30. 便利な here is, here are
    Lesson **56, 57** *64*
31. 名詞の代用語（代名詞）にはどんなものがあるか
    Lesson **58** *65*
32. for, against, before, after の使い方
    Lesson **59, 60, 61** .... *67 ～ 69*
33. what, who, where, whose はどのように使うか
    Lesson **62, 63, 64, 65, 66** .... *70 ～ 73*
    Lesson **101, 102** *121, 122*
    Lesson **152** *195*

11

34. not を使って否定する文を作る
  Lesson 67, 68, 69, 70, 71 .... 74〜81
  Lesson 73, 74 .... 84〜86
  Lesson 97 118
  Lesson 99 119

 § 英語の省略と短縮について 78

35. yes, no は「はい」「いいえ」と同じではない
  Lesson 72, 73 .... 82, 84

36. any と some の使い方
  Lesson 75, 76 88

37. 数と量の書き方と尋ね方
  Lesson 77, 78, 79, 80, 81 .... 90〜96

38. 時間と時刻と日付の表し方
  Lesson 82, 83, 84, 85, 86, 87 .... 97〜101

39. can と cannot の使い方
  Lesson 88, 89, 90 .... 105〜106

40. why, how を使って尋ねる
  Lesson 91, 92 .... 107, 108
  Lesson 98, 99, 100 .... 119〜120

41. 過去のことを書くにはどうするか
  Lesson 93, 94, 95, 96, 97, 98, 99 .... 109〜119

42. because はこういうときに使う
  Lesson 100 120
  Lesson 158 206

43. whom を使って尋ねる
  Lesson 103 123

44. must (have to) の使い方
  Lesson 104 124
  Lesson 142 178

45. I give this to you. と I give you this. 式の文
  Lesson 105 125

46. Which...or...？の形
  Lesson 106, 107 .... *127*
  Lesson 111 .... *132*
47. 比較する文の作り方と使い方
  Lesson 108, 109, 110, 111, 112 .... *128 〜 133*
  Lesson 140, 141 .... *176, 177*
  Lesson 161 .... *210*
48. 未来のことを書くにはどうするか
  Lesson 113, 114, 115, 116 .... *134 〜 140*
  Lesson 118 .... *142*
  Lesson 123 .... *151*
49. I am reading... の形（現在進行形）
  Lesson 117, 118 .... *141, 142*
  Lesson 127 .... *158*
50. 動詞＋ing（動名詞）の活用
  Lesson 119, 120 .... *144, 145*
  Lesson 132, 133 .... *163, 164*
  Lesson 153 .... *199*
51. like（〜のようだ）と the same as の使い方
  Lesson 121 .... *147*
52. to ＋動詞の形はどういうときに使うか
  Lesson 122, 123 .... *149 〜 151*
53. 受け身の形と過去分詞
  Lesson 124, 125, 126, 127 .... *153 〜 158*
  Lesson 138 .... *173*
54. 過去分詞も修飾に使われる
  Lesson 128 .... *159*
55. get の働き
  Lesson 129, 130 .... *160, 162*
56. 動詞＋ing の形容詞
  Lesson 131, 132, 133 .... *162 〜 164*

57. see, hear, help, let, ask が to を省く場合
　　　Lesson 134 .... *165*
58. let us... は便利な形
　　　Lesson 135 .... *167*
59. 主語＋have (has)＋過去分詞は現在完了形の文
　　　Lesson 136, 137, 138 .... *168〜173*
60. 最上級の作り方と使い方
　　　Lesson 139, 140, 141 .... *174〜177*
61. have to と had to の使い方
　　　Lesson 142 .... *178*
62. may と might の使い方
　　　Lesson 143, 144 .... *181, 182*
63. should と ought to の使い方
　　　Lesson 145, 146 .... *183, 184*
64. too, also, either, neither はどう使うのか
　　　Lesson 147 .... *184*
65. 感謝を表す文の書き方
　　　Lesson 148 .... *188*

第2部　　複　文　　　　　　　　　*191*

66. 複文の作り方
　　　Lesson 149 .... *191*
67. which, that, who, whose, where, when, what
　　で結ばれた文
　　　Lesson 150,151,152, 153, 154,155,156 .... *192〜204*
　　§ 時制の一致 *196*
68. before, after, since, until, while で結ばれた文
　　　Lesson 157 .... *205*

目　次

69. because, since, as で結ばれた文
　　　Lesson 158 .... *206*
70. so that の使い方
　　　Lesson 159 .... *207*
71. as...as の使い方
　　　Lesson 160 .... *208*
72. so...that の形
　　　Lesson 162 .... *211*
73. it is...to... の形
　　　Lesson 163, 164 .... *213, 215*
74. it と that で結ばれた文
　　　Lesson 165 .... *216*
75. I am glad... や I am sorry... にも that が必要
　　　Lesson 166 .... *218*
76. 直接話法と間接話法
　　　Lesson 167, 168 .... *220, 222*
77. 過去完了形と過去完了進行形の書き方
　　　Lesson 169, 170 .... *224, 226*
78. 未来完了形と未来完了進行形の書き方
　　　Lesson 171, 172 .... *227*
79. 仮定の書き方
　　　Lesson 173 .... *228*
80. 「～に違いない」と想像する場合の用語
　　　Lesson 174 .... *229*
81. you had better... の形
　　　Lesson 175 .... *231*
82. if, even if の使い方
　　　Lesson 176 .... *232*
83. demand, advise, suggest は強い動詞
　　　Lesson 177 .... *234*
84. it is necessary that... の形
　　　Lesson 178 .... *236*

85. unless の使い方
    Lesson 179 .... *238*
86. able という語
    Lesson 180 .... *238*

第3部　総合練習　　　*241*

私の家族 *242*
次郎アメリカへ渡る *243*
ある手紙 *245*
シカゴ（Chicago） *246*
翻訳問題：旅行ガイドの試験 *247*
夫婦 *248*
とりとめのない少年の思い *253*
姉妹の会話 *255*

解答の部　　　*259*

第1部　単　文 *259*
第2部　複　文 *278*
第3部　総合練習 *285*

おわりに *299*
索　引 *301*

第1部　単　文

1. 文の始めと終わりはどうするのか

Lesson 1

　英文 (sentence) は、必ず大文字 (capital letter) で書き始めます。これには例外はありません。

　文の終わりには終止符 (period) を打ちます。period は黒点「.」で、日本語の終止符「。」とは違いますからお忘れなく。外国人の中には、まれに「.」の代わりに「。」を打つ人がいますが、しゃれたつもりなのでしょう。まねをしなくてよいことです。

　文の終わりが period でないのは、質問の符号「?」(question mark) か、感嘆の符号「!」(exclamation mark) が代わりをしているときだけです。

2. 英語は「I」(私) が中心

Lesson 2

　英語には「私」という意味の語は一つしかありません。「I」です。そしてこの「I」が「私は」とか「私が」という意味で使われるときは、いつも直立不動で、文章のどこにあっても、大文字で表されます。しかも英語には、「は」だの「が」のような「てにをは」がありませんから、「I」だけで「私は」とか「私が」の意味になります。

　注　昔から私たちが日本語を書くときは、「私」またはそれに相当する語は、極力避けて使いましたから、これから英語を書く練習に入る読者には、ちょっと煩わしい感がするかもしれません。しかし英語を母国語とする国民の間では、日常の会話で一番多く使われる単語ですから、英語を習得するためには、どうしても「I」を中心に考えていくようにしないとうまくいきません。

書く英語・基礎編

Lesson 3

I am Hideo. これは「秀夫は私です」または「秀夫です」という意味です。また、姓・名ともに最初の文字は大文字で書きます。

次の日本文を上の例にならって英語に直してください。

[練習問題]
(1) 健一は私です。　　_____
(2) 直美です。　　　　_____
(3) 僕が正浩です。　　_____
(4) 幸子は私です。　　_____

3. 姓名の書き方

Lesson 4

姓名を書くときには、Sachiko Goto（後藤幸子）のように姓が後になります。これは英語国の習慣です。また、自分の名前を英語で名乗るときは、My name is Sachiko Goto.（私の名前は後藤幸子です）のように言うことは読者もご承知でしょう。I am Sachiko Goto. とは、姓と名を名乗るときには言いません。

では、次の練習問題を英語式にしてください。

[練習問題]
(1) 鈴木健一　　_____
(2) 松本直美　　_____
(3) 小山正浩　　_____

4. 「私」と単数

Lesson 5

I am a student. は「私は学生です」という意味です。a student が「学生」に当たります。「学生」は student ですから、I am student. だ

18

第1部　単　文

英語の姓名

　英語では「姓」を family name (家族名) とか last name (最後の名) と呼びます。「幸子」は given name (与えられた名) または first name (最初の名) と言います (イギリスでは forename)。キリスト教信者は、この given name を、洗礼の時に与えるという意味で Christian name とも言います。キリスト教国の人は、信者でない人に対しても What is your Christian name? (あなたのクリスチャン・ネームは何ですか) と尋ねる人がいます。信者でなくても、first name を言えばそれで済みます。

　欧米人は大抵 middle name (中間の名前) を持っています。私の親友に William John McWilliams、また友人の娘さんに Betty Anne Will という人がいました。しかし、いつも自分の名前をこのように書くわけではなく、middle name は略して、それぞれ William J. McWilliams、Betty A. Will と書いていました。私たちに親しまれている映画俳優の名前には、middle name がないのが普通です。大体は芸名で本名ではありませんから、いわば略式と言えるでしょう。

　また middle name には、母親の姓とか有名な先祖の名もよく使われます。アメリカ大統領の Franklin Delano Roosevelt の Delano は母系の名ですし、私の先生であった Ruth Emerson Hannaford さんの Emerson は、文豪の Emerson を先祖に持っていたからです。この middle name は、日本に住む限り私たちには関係のないことですが、海外では、すべての書類には middle name を書き込む欄があります。自分の名前を書き込むときは、middle name が無いという意味でそこに横線を引きます。

　姓と名の最初の文字は大文字で書きますが、ときどき外国人の姓で、小文字で始まっているのを見かけることがあります。例えば、von Hindenburg、van Wyk、de Grassi のようにです。von はドイツ人やオーストリア人、van はオランダ人、de はイタリア人、スペイン人、フランス人などの人名に用いられ、「～から」「～の」を意味し、出身地を示すのにかつて使われました。大体は小文字で書かれます。

　ヨーロッパの国では、公的文書などには、日本のように姓を先にして書くことがあります。そのときには通常 Suzuki, Kenichi のように、姓の後にコンマ (comma) を打ちます。そうすることで、Suzuki が名字であることを示します。辞書なども姓名の表示は姓が先になっています。近ごろは、ローマ字で名前を書くときに、英米の習慣に追従して姓名を逆にすることに疑問をもつ人もいます。名刺などに姓を日本式に頭にもってきたい場合は、姓の後にコンマを打てばよいでしょう。

けでよさそうなものだと思うでしょうが、英語では、一つ二つと数えられるものは、必ず一つ（単数）であるか、二つ以上（複数）であるか区別することになっています。

「私」というのは常に一人であるわけですから、「私は何々である」ということを言う場合には、「a」を使うことになります。

［例題］
　　I am a nurse.　　　（看護師です—英語も男女とも nurse）
　　I am a housewife.　（主婦です）
　　I am a salesman.　（営業マンです）
　　I am a barber.　　（理容師です）

では、次の日本文を英語に直してください。ここでの練習は、日本文の言い方がどうであっても、英語の例題にならってやってください。

［練習問題］
(1) 私は医師 (doctor, physician) です。
　　――――――――――――――――――――――
(2) 私は教授 (professor) です。
　　――――――――――――――――――――――
(3) 私は商売をして (merchant, businessman) います。
　　――――――――――――――――――――――
(4) 僕は野球の選手 (baseball player) なんです。
　　――――――――――――――――――――――

5. 文の基本は3種類／敬称： Mr., Mrs., Miss, Ms., Dr., Prof., the Honorable, the Reverend

Lesson 6

　文には大体三つの種類があります。「～は～です」と状態を言うのがその一つ。「～は～ですか」と質問するのがその二つ目。「～が～する」と行動や行為を表現するのがその三つ目です。

第１部　単　文

　I am a student. のような、先ほど習ったものは、第一の部類に属します。第二の部類に属する文は次のようにして作ります。

　　　Am I Hideo?　　Am I a student?

　I と am が入れ替わって、文の最後に「？」が付くだけです。人に物を尋ねるのはこれだけでなく、「誰ですか」「どこですか」「いつですか」「なぜですか」などという種類の尋ね方がありますが、それは後で学ぶことにします。

　ところで Am I Hideo? とは、どう考えても変な質問ですね。自分の名前を他人に尋ねているのですから。Am I a student? も感心した質問ではありません。もう少し気のきいた尋ね方で書く練習をしましょう。それには次の形をまず覚えてください。

　You are Mr. Ito. は、「あなたは伊藤さんですね」という文の形です。Mr. は Mister の略語です。英語では、略語の最後には必ず period「.」を打ちます（注1参照）。文の終わりだと勘違いしないでください。

　注1　Mr. は男性に対する敬称です。Mrs.は、強いて言えば Mistress の略語でしょうが、夫人、つまり既婚の女性に対して使います。しかし、離婚しても未亡人になっても、前夫の姓を頭に置いて使う人もいます。Miss は普通未婚の女性に使います。これは略語ではありませんから、Miss Jones のように、Miss の後に period「.」を打ちません。また、Miss は、結婚していても職業的に独立している女性（歌手、女優など）にも Miss Monroe または Miss Marilyn Monroe のように使います。しかし、1950年代からアメリカでは、Mrs.や Miss の代わりに、Ms.または Ms（Mrs.と Miss の複合語）が使われるようになりました。その理由は、Mr.には既婚・未婚の区別が無いのに、Mrs.と Miss にはあるからです。このように、女性の敬称にはいろいろな使い方があるので、少々厄介です。

　注2　イギリス式は、アメリカ式と異なり、Mr、Mrs のように書き、period を打たないので、覚えておいてください。

　さて、だれかに「あなたは～さんでいらっしゃいますか」と尋ねるときには、you と are を入れ替えて、最後に「？」を付ければ満点です。つまり Are you Mr. Ito? のようにです。以下の例文を見てください。

〈普通の文〉	〈質問の文〉
You are a student.	Are you a student?
You are a doctor.	Are you a doctor?
You are a professor.	Are you a professor?
You are a businessman.	Are you a businessman?

書く英語・基礎編

```
You are Mrs. Ito.           Are you Mrs. Ito?
You are Miss Jones.         Are you Miss Jones?
You are Sachiko.            Are you Sachiko?
```

ではこれらの例を応用して、次の文章を質問の文に変えて書いてみてください。

[練習問題]
(1) You are a nurse.　　　　＿＿＿＿＿＿＿＿＿＿＿＿＿＿
(2) You are an American.　　＿＿＿＿＿＿＿＿＿＿＿＿＿＿
(3) You are a baseball player.　＿＿＿＿＿＿＿＿＿＿＿＿
(4) You are a <u>writer</u>. (作家)　＿＿＿＿＿＿＿＿＿＿＿＿
(5) You are a <u>pianist</u>. (ピアニスト)　＿＿＿＿＿＿＿＿
(6) You are Miss Smith.　　＿＿＿＿＿＿＿＿＿＿＿＿＿＿
(7) You are Mr. Taylor.　　＿＿＿＿＿＿＿＿＿＿＿＿＿＿
(8) You are Mrs. Ishizaki.　＿＿＿＿＿＿＿＿＿＿＿＿＿＿

Lesson 7

　Mr., Mrs., Miss, Ms. に類した敬称や呼び方についても説明しておきましょう。手紙を書くときなどには、どうしても知っておかなければなりませんから。

　Dr. = Doctor の略。博士号を持っている人はすべて Dr. です。お医者さんに限りません。博士である人に、Mr. と書くのは少し失礼にあたります。相手が女性でもやはり Dr. です。名刺や表札などに John Ford, MD のように表示してあることがあります。MD は、Doctor of Medicine (医師) の略です。また、博士の称号と区別する意味で付けるということもあります。MD は名前の後に付け、また省略を意味する period は打ちません。

　Prof. = Professor の略。大学の教授です。

　the Honorable = 偉い人。国会議員、大臣、長官、判事など。この場合は、略して the Hon. などと書かない方がよいでしょう。

　the Reverend = 牧師。特にプロテスタント教会の。略して the Rev. とか Rev. と書く人がいますが、そうしない方が礼儀にかなっています。

Fr. = Father の略。カトリック教会の神父。

Ms. = 発音は [miz] で、女性に対して既婚、未婚の区別をしない敬称ということは前に述べました。teenager のように年の若い女子には使いません。なお複数は Mses. です。

敬称にはまだいろいろありますが、詳しくは『書く英語・実用編』を参照してください。

⑥. am, are, is

Lesson 8

It is a pen. これは例文として日本でよく使われる形です。「それはペンです」という意味であることは、おわかりでしょう。

さて、これで「～は～です」が三通り出てきました。

  I am a student. You are Mr. Ito. It is a pen.

気付かれたでしょうが、I には am、You には are、It には is がそれぞれ続いています。みんな「～が～です」の意味になりますが、英語ではこのように使い分けます。これは意味をはっきりさせるのに役立ちます。

日本語では「困っています」と書いてあっても、誰が困っているのかわからないことがあります。英語にはそういうようなことはありません。It is a pen. がわかれば、いろいろなことが書けます。

［例題］
 It is a <u>can opener</u>.（缶切り）
 It is a radio.
 It is a letter.
 It is a love letter.

では次の日本文を英語で書いてください。

［練習問題］
 (1) バラ (rose) です。　_____
 (2) ボタン (button) です。　_____

(3) 針 (needle) です。　＿＿＿＿＿＿＿＿＿＿＿＿＿
(4) 扇子 (fan) です。　＿＿＿＿＿＿＿＿＿＿＿＿＿

　こんどは、質問の文を書いてみましょう。ついでですが、質問の文を文法では疑問文と言います。

[例題]
　　It is a <u>rabbit</u>.（ウサギ）→ Is it a rabbit?

[練習問題]
　　(5) It is a school.　　　　＿＿＿＿＿＿＿＿＿＿＿＿＿
　　(6) It is a <u>calendar</u>.（暦）　＿＿＿＿＿＿＿＿＿＿＿＿＿
　　(7) It is a golf ball.　　　＿＿＿＿＿＿＿＿＿＿＿＿＿
　　(8) It is a <u>hat</u>.（帽子）　＿＿＿＿＿＿＿＿＿＿＿＿＿
　　(9) It is a <u>lighter</u>.（ライター）＿＿＿＿＿＿＿＿＿＿＿＿＿

　注　hat は周りに縁のあるもので、cap は深くかぶる縁なしの帽子。ひさしのある野球帽なども cap の一つです。

7. it, this, that, he, she の使い方

Lesson 9

　it は、何でも単数のものなら「それは」という意味のときに使ってかまいません。それから、手近にあるものを指して「これ」と言うときとか、「きょう」「この」とか、身近かなものについて言うときには this を使います。離れている物を指すときとか、過ぎ去ったこと、遠い感じのすることを書くときには大体 that を使います。

　　This is Sunday.　（きょうは日曜日です）
　　That is a train.　（あれは電車だ）

Lesson 10

　「あの人」つまり自分でもない、あなたでもない人は、he（男）か she（女）です。こういう第三者（第三人称）のことは、私たちの会話

にも作文にも非常に多く出てきます。ところが日本語では、いちいち「彼は」とか「彼女は」と、言ったり書いたりしません。それ故に、「I」の場合と同様、初めて英語を書く人には、ちょっと煩わしく感じられます。

例えば、「きのう会社の同僚とスキーに行きました。その人は私の大の仲良しです」と田舎の両親に手紙を書いても、両親は「その人」が同性の者か異性の人か皆目わかりません。書いた方でも、わからないことを計算に入れて書くのでしょうけれど、英語ではそういうごまかしが利きません。He is a... か、She is a... と、書かないと文にならないからです。早く白状してしまった方が気が楽になります。

8. 状態を表す文

Lesson 11

これまでのところでは、I am a professor. とか、You are Mr. Ito. とか、さもなければ、It is a love letter. のように、「～は～です」の形の文ばかり学んできました。でも、この形の文にはもう一つの用途があります。それは「私は元気です」とか、「あなたは親切ですね」「これはうまい！」などという状態や状況を表す文です。これはいとも簡単にできます。

  I am well. You are kind. It is good.

上の文を質問の文に直すのもわけはありません。

  Am I well? Are you well? Is it good?

 注 ここでの well は、気分とか健康状態がよい、という意味です。しかし、まさか Are you kind?（あなたは親切ですか）と書くことはまずないでしょう。good は、物の品質が「よい」「いい」の意味でよく使われますが、ここの場合は、「おいしい」という意味です。

ではここで三段階の練習をしてください。日本文を英文に直し、さらに質問の文にするのです。例題にならってやってください。

[例題]
  きれいですね。→ It is pretty.→ Is it pretty?

書く英語・基礎編

[練習問題]
(1) あなたは空腹な (hungry) のですね。
_____   _____

(2) あなたは淋しい (lonely) のね。
_____   _____

(3) これはうまい (tasty)。
_____   _____

(4) それは安い (cheap) ね。
_____   _____

(5) あの人 (男) は背が高い (tall) ですね。
_____   _____

(6) 美人 (beautiful) です。
_____   _____

⑨. very を使って文を生かす

Lesson 12

　文をもっと生かす方法があります。つまり強めるのです。「お腹がすいた」ぐらいでは、「それじゃそろそろ食事にでも」程度の反応しか示さないでしょう。「淋しい」と言ってやっても相手は飛んできません。「とてもお腹がすいた」「淋しくて淋しくて」と言えば、もっと効果があります。very を使ってごらんなさい。

　　I am very hungry.
　　I am very lonely.
　　She is very beautiful.

　だいぶ感じが違うでしょう。次の文章に very を挿入して文章を強めてください.

[練習問題]
(1) I am _____ well.
(2) I am _____ young. (若い)
(3) I am _____ happy. (幸福な)
(4) You are _____ rich. (金持ち)

(5) You are _____ kind.
(6) She is _____ clever. (賢い)
(7) He is _____ tall.
(8) He is _____ handsome. (ハンサム)

Lesson 13

　読者の気持ちからすれば、先にどんどん進みたいでしょうけれども、ここでちょっと立ち止まって、今までの復習を兼ね、次の和文に相当する英文を書いてみてください。ここに書き切れない場合は、ノートを使ってください。

[練習問題]

(1) _____（自分の名前を書く）
　　私は学生です。背は高いです。とても健康です。

(2) あなたは実業家です。とても金持ちです。親切です。健康ですか。

(3) これは一輪のバラです。美しい。とても美しいです。

(4) あの人(男)はとてもハンサムです。教授かしら。お医者さんかしら。

(5) おれは腹がペコペコだよ。おれは独りぼっち(lonesome)だ。

(6) 私は看護師です。あなたは主婦ですか。

(7) これは手紙だわ。ラブレターかしら。

(8) 英語はやさしい(easy)。

10. 行動や行為や動作を表す文

Lesson 14

ではここで、行動や行為や動作を表した文を習うことにしましょう。なお、ここから本書は、便宜上「行動や行為や動作」を、「行動」の一語に統一して解説します。また、I, you, it のように行動・行為・動作の主体となる語を文法では主語と言います。

[例題]
 I write.（私が書きます） You write.（あなたが書きます）
 I read.（私が読みます） You read.（あなたが読みます）

次の和文をこの調子で英文にしてみてください。

[練習問題]
(1) 私は働き（work）ます。私は食べ（eat）ます。私は眠り（sleep）ます。
___

(2) あなたは歩き（walk）ます。あなたは休み（rest）ます。あなたはほほ笑み（smile）ます。
___
___

Lesson 15

以上のことだけなら簡単でよいのですが、これだけでは簡単すぎてあきてしまうでしょう。I write. なら、「何を書く」のか知りたいし、You read. なら、「何を読む」のかはっきりさせなければつまりません。行動には、必ずその行動の及ぼす目的物があるはずです。I work., I eat., I sleep. だけでは動物みたいです。I love you. という言葉をご存じでしょう。行動を表す文は大体みんなこの形です。

[例題]
 I write a book.   You read a book.

　　　　I like baseball.（好き）　　　　You like tennis.
　　　　You cook food.（食べ物を料理する）I smell food.（匂いがする）
　　　　I watch television.（見る）　　　You watch television.
　　　　I write a love letter.　　　　　 You read it.

　注　行動を表す write, read, watch といった語を文法では動詞と言います。

以上のような具合です。練習してみましょうか。

　　［練習問題］
　　　（1）私は新聞（newspaper）を読みます。
　　　　――――――――――――――――――――
　　　（2）私はコーヒー（coffee）が好きです。
　　　　――――――――――――――――――――
　　　（3）あなたはお茶（tea）が好きですね。
　　　　――――――――――――――――――――

11. 「a」（冠詞）のいらない名詞

Lesson 16

　さて、上の例と練習の中に新しい問題が現れました。baseball, tennis, television, coffee, tea, food などは、a baseball, a tennis とならず、ただ baseball, tennis でした。これには訳があります。野球という運動競技やコーヒーやお茶は、漠然としたもので、一つ二つとは数えられないからです。でも「コーヒー1杯」ということがある、とおっしゃるでしょう。その通りです。後で詳しくこのことに触れますが、このようなつかみどころのないものは、a baseball game（野球の試合）とか a tennis match（テニスの試合）または a cup of coffee などのように書かないと数えられないのです（*Lesson* 78―93 頁参照）。

　でも、目の前の一台のテレビを見ているのだから I watch a television. と書いてもよさそうだと思われるでしょう。もっともです。しかし、厳密に言うと、それは I watch a television program. であって、television という無線電送画像は、一つ二つと数えるものではありません。だから、やはり I watch television. でいいのです。

次に television や coffee のように数えられないものを少し書き出してみましょう。

air（空気）	butter（バター）	cash（現金）
dust（ちり）	English（英語）	fire（火）
gas（ガス）	heat（熱）	ice（氷）
jam（ジャム）	knowledge（知識）	love（愛情）
mail（郵便物）	night（夜）	oil（油）
peace（平和）	quality（質）	rice（米）
snow（雪）	trade（取引、交易）	unity（一致）
voice（声）	water（水）	wine（ブドー酒）
X-ray（X線）	youth（若年、青春）	zest（熱心さ）

もちろんこれらの中にも、数えられるものはあります。「夜」は一晩、二晩と言えますし、声でも「いい声をしている」などは "A good voice." と言います。しかしそれは言葉の働きの問題で、このことは別冊の『書く英語・応用編』でじっくり説明します。

12. have の使い方

Lesson 17

「動作」というほどはっきりした行動ではありませんが、「～を持っている」とか、「私には～がある」といった意味を表すよく使う言葉は have です。

[例題]
　I have l00 yen.　　（100円持っています）
　I have a wife.　　（私には妻がいます）

注　yen は単・複数とも同じ。

[練習問題]
　(1) 私は 1,000（thousand）円持っています。

　(2) 私はカメラ（camera）を持っています。

(3) 私には妹 (sister) がいます。＿＿＿＿＿＿＿＿＿＿＿＿＿＿
(4) 私には職 (job) があります。＿＿＿＿＿＿＿＿＿＿＿＿＿＿

13. want の使い方

Lesson 18

　もう一つよく使う言葉は「欲しい」「必要だ」などという気持ちを表す want です。

[例題]
　I want a friend.　　（友だちが欲しいわ）
　I want a glass.　　（コップをください）
　I want you.　　　　（君が必要だ）

[練習問題]
　(1) お金 (money) が欲しいな。＿＿＿＿＿＿＿＿＿＿＿＿＿＿＿＿
　(2) 缶切りが要ります。＿＿＿＿＿＿＿＿＿＿＿＿＿＿＿＿＿＿＿
　(3) 仕事をください。　＿＿＿＿＿＿＿＿＿＿＿＿＿＿＿＿＿＿＿

　注　「無いから欲しい」、「欲しい」から「ください」と言っていると考えます。

14. 単数と複数

Lesson 19

　ここまでは「私」「あなた」「彼」など、いずれも単数でやってきましたけれど、世の中の事柄は一対一だけで運ぶわけではありませんし、「あなた」と「私」が一緒になって「私たち」となるのも極めて自然なことなので、この辺で複数に入りましょう。

　　　私たち　　　　　　　＝　we
　　　あなたたち　　　　　＝　you（単数と同じ形です）
　　　彼ら　　　　　　　　＝　they

彼女たち　　　　　　　＝　they
　　　それら（itの複数）　＝　they
　彼ら以下全部 they で同じなのは、あまり英語らしくありません。上の単語を使った例を挙げてみましょう。

　　　　We like Japan.　　You like English.　　They drink wine.

Lesson 20

　「〜は〜です」の I am..., You are... は、複数になると次のように変わります。面倒なようですが、これが後でかえって便利になるのです。

〈単数〉	〈複数〉
I am a student.	We are students.
You are a student.	You are students.
He is a friend.	They are friends.
She is a friend.	They are friends.

　ここで特に注意していただきたいことは、単語の変化です。日本語にはこういうようなことがないので、これも始めのうちは厄介だと思うでしょうが、後で楽をします。

〈単数〉	〈複数〉
a student	students
a friend	friends

Lesson 21

　厄介と言えば、単複とも同じ語がありますが、これを覚えるのも大切です。

〈単数〉	〈複数〉
a Chinese（中国人）	Chinese
a Japanese	Japanese
one yen	five yen
deer（鹿）	deer
fish （魚）	fish
fruit（果物）	fruit

　注　fish と fruit は、種類を表すときには、fishes, fruits となります。またそうならない語もあります。これはいちいち覚えていくしかありません。

Lesson 22

普通は、student（単数）を students（複数）のように、ただ語尾に「s」を付け加えるだけですが、「es」を付けるのもあります。

〈単数〉	〈複数〉
a box（箱）	boxes
a dress（ドレス）	dresses
a watch（腕時計）	watches

Lesson 23

fly（ハエ）のように語尾が「y」で、その前が子音の場合には flys と書かず、「y＝i＋es」で flies となります。ところが、toy（玩具）のように「y」の前が母音の場合は、toys のように「s」を付けるだけです。

〈単数〉	〈複数〉
a city（市）	cities
a library（図書館）	libraries
a monkey（サル）	monkeys
a ray（光線）	rays

Lesson 24

語尾が「f」または「fe」のときは「ves」になります。

〈単数〉	〈複数〉
a housewife	housewives
a knife（ナイフ）	knives
a leaf（木の葉）	leaves
a loaf（食パンの一塊）	loaves

そのようにならない語には、次のような単語があります。

〈単数〉	〈複数〉
a dwarf（小人）	dwarfs
a handkerchief（ハンカチ）	handkerchiefs

Lesson 25

自分勝手な複数の形を作る語もあります。

〈単数〉	〈複数〉
ox （雄牛）	oxen

ox は去勢された雄牛（労働用）のことです。去勢された上に働かされるので、やけになってこんな変化をするのだ、と覚えておいてください。それから、始終使う単語に次のようなものがあります。

〈単数〉	〈複数〉
a man （男、人間）	men
a woman （女）	women
a child （子供）	children

複数の作り方でだいぶ手間取りましたが、大抵の辞書には複数形が出ていますから、不安なときには確かめてください。常に辞書で確かめる習慣を身に着けることは、外国語を書く場合には非常に大切なことです。

15. an の使い方

Lesson 26

先の ox のところで、読者は気付かれたと思いますが、単数のところで a ox とは書いてありませんでした。これは正しくは an ox なのです。なぜかと言うと、a ox はちょっと言いにくいのです。それで an ox となったものと思っていいでしょう（実は、an ox は元は one ox が崩れてなったものなのです）。では、どんなものに a が付き、どんなものに an が付くかと言うと、幸いこれにははっきりした規則があります。英語の音のうち a, e, i, o, u（ちょうど日本語のアイウエオに類似している）の音（母音と言う）で始まる言葉は、単数のときには an で始めます。下の例を見てください。

an apple （リンゴ）　　an arm （腕）
an egg （卵）　　　　　an orange （オレンジ）
an organ （オルガン）　an Indian （インド人）
an urn （つぼ）

しかし、この規則はあくまで音に基づいたもので、文字には拘束されないということを、特に注意して覚えておきましょう。
　　　a union（組合）
　　　a United States official（アメリカ合衆国の役人）
これらはいずれもユに近い音で始まっていますから、アイウエオの音外と考えていいのです。
　ところが hour（時間）などは、h で始まっていますが、この h は全く発音されないので、「1時間」を an hour と言います。ほかにも同じようなのが二、三あります。
　　　an heir（相続人）　　an heiress（女性相続人）
　　　an honor student（優等生）
　このくらいです。大した数ではありませんから覚えてしまいましょう。こういう不規則な変化を正しく書きこなすと、学があると思われます。

　　注　強いて探せばまだあります。下記の単語は一応この部類に属します。
an heirloom（世襲財産、法定相続動産）、an honest（正直な）、an honorable（立派な）、an honorarium（謝礼）、an honorary（名誉上の）、an honorific（敬語）

Lesson 27

これまで習ったことの総合練習です。英語で書いてください。

[練習問題]
　(1) ハンカチが欲しい。＿＿＿＿＿＿＿＿＿＿＿＿＿＿＿＿
　(2) 私たちは友だちです。
　　　＿＿＿＿＿＿＿＿＿＿＿＿＿＿＿＿＿＿＿＿＿＿＿＿
　(3) あの人たちはアメリカが好きなの。
　　　＿＿＿＿＿＿＿＿＿＿＿＿＿＿＿＿＿＿＿＿＿＿＿＿
　(4) 君たちは学生かい。＿＿＿＿＿＿＿＿＿＿＿＿＿＿＿＿
　(5) 私は宝石類（jewels）を売って（売る＝sell）います。
　　　＿＿＿＿＿＿＿＿＿＿＿＿＿＿＿＿＿＿＿＿＿＿＿＿
　(6) ネールさん（Mr. Nehru）はインド人です。
　　　＿＿＿＿＿＿＿＿＿＿＿＿＿＿＿＿＿＿＿＿＿＿＿＿
　(7) 私たちは兄弟（brother）です。
　　　＿＿＿＿＿＿＿＿＿＿＿＿＿＿＿＿＿＿＿＿＿＿＿＿

(8) あなた方は姉妹ですか。　_____

(9) あの人たちは教員 (teacher) ですか。
_____

(10) あなたたちは日本人ですか。
_____

(11) われわれには後継ぎ（女性）がいます。
_____

(12) あの人たちはスチューワデス (flight attendant) だわ。
_____

　注　以前は、旅客機の乗務員を steward（男性）stewardess（女性）のように呼んでいましたが、今は男女の区別をしないということから、flight attendant（飛行乗務員＝客室乗務員）のように名称が変わっています（57頁―注参照）。

16. and の使い方

Lesson 28

　「あなたと私」の「と」は and で表します。つまり You and I のように使います。

[例題]

リンゴとオレンジ	= an apple and an orange
東京とニューヨーク	= Tokyo and New York
教授と学生	= a professor and a student
コーヒーとお茶	= coffee and tea
パンとバター	= bread and butter
『ロミオとジュリエット』	= *Romeo and Juliet*
『赤と黒』	= *Red and Black*

　注　劇や本の題名は、Red and Black のように、文中にあっても、単語の最初の文字は大文字で書きます（ただし、冠詞や前置詞 the, and, but などは小文字）。ワープロなどを使って活字で文書にする場合は、イタリック体（斜体）にするか、アンダーラインを上記のように題名の下に引きます。詳しくは『書く英語・実用編』を参照。

[練習問題]
(1) 水と油　　　　　　　_____
(2) コーヒーとミルク　　_____
(3) 『英語と私』　　　　_____
(4) 武蔵と小次郎　　　　_____
(5) フォーク (fork) とナイフ
_____
(6) 日本人と中国人 (一人ずつの場合)
_____
(7) 日本人と中国人 (複数の場合)
_____
(8) パイプ (pipe) と刻みたばこ (tobacco)
_____
(9) 僕はアイスクリーム (ice cream) とコーヒーをもらおう。
_____
(10) 私には弟が一人と妹が一人います。
_____
(11) うちには犬と猫が1匹ずついます。
_____

注 「います」は、「私たちは〜を持つ」と書きます。

17. 形容詞を加えて文を生かす

Lesson 29

　少し前に状態を表す文の話をしました (*Lesson* 11 参照) が、good, kind, pretty のように状態や質を表す場合の語を、文法では形容詞 (adjective) と言います。ここでは、その形容詞を使って文を生かします。つまり、I have a book. よりは、I have a good book. (よい本) の方が興味がわきます。もっと面白くしたければ、I have a very good book. のようにも言えます。
　She is beautiful. の beautiful も adjective です。また very beautiful の very のように、形容詞を修飾する言葉を副詞 (adverb) と言います。ちょっと面倒ですね。

書く英語・基礎編

[例題]
  a student   a good student
  a housewife   a busy housewife（忙しい）
  an uncle（伯父） a rich uncle
  a girl   a pretty girl
  a house   a very nice house（すてきな）

注　an と uncle の間に rich が入ったので an が a に戻りました。

Lesson 30

これで大分いろいろなことが自由に書けるようになりました。ちょっと復習してみましょう。

[例題]
 We have a new teacher.
  （うちの学校に新しい先生が来られました）
 They are good friends.
  （彼ら〈彼女たち〉はとても仲がいいです）
 This is a fine picture. （この写真はよく撮れています）
 We want hot coffee.   （ホットコーヒーを下さい）
 Are you an American?. （あなたはアメリカ人ですか）

[練習問題]
（1）よく切れる（sharp）ナイフを下さい。

（2）新鮮な（fresh）卵を下さい。（複数にする）

（3）よい仕事と新しい家が欲しいな。

（4）きれいなバラですこと！

（5）あなたは美しくてお利口ですね。

38

(6) あなたはハンサムで背が高くて。
　　―――――――――――――――――

(7) おれは健康で幸福だ。
　　―――――――――――――――――

(8) あなたは健康で幸せですか。
　　―――――――――――――――――

18. 数の書き方と数え方

Lesson 31

　数の書き方、物の数え方などは次の通りです。詳しくは *Lesson* 77 ―90頁を参照してください。

　　　a book または one book
　　　two books, three books, four books
　　　a match（マッチ棒）または one match, two matches

　英文で書くとき、普通は、I have two sisters. と書き、I have 2 sisters. のようには書きません。お金の額を書く場合には、見た目に明解なので、数字を使ってもよいことになっています。

　　　I want 200 yen., You have $2.50.

　しかしこれも、two hundred yen、two dollars and fifty cents と、それぞれ書くのが正式です。

　注　$ は、U. S.（合衆国）の2字を合わせたシンボルです。

［例題］
　　リンゴを六つ下さい。= I want six apples.
　　リンゴ六つとオレンジ三つ下さい。
　　　　　　　　= I want six apples and three oranges.
　　私には二人の兄弟と三人の姉妹がいます。
　　　　　　　　= I have two brothers and three sisters.
　　お宅にはかわいい犬が3匹いますね。
　　　　　　　　= You have three cute dogs.

以下の問題の単語の前には、a, an が省かれます。

[練習問題]
(1) 白雪姫（Snow White）と7人の小人たち。
___
(2) 私には妻と5人の子供がいます。
___
(3) うちには4匹のかわいい猫がいます。
___
(4) 私はノートブック（notebook）2冊と赤鉛筆（red pencil）3本持っています。
___
___
(5) あなたは10（ten）ドル持っています。
___
(6) 私にはたくさんの（many）とてもいい（very fine）先生がついています。（ついている＝もつ）
___
___

Lesson 32

ここまで、have は、I have..., we have..., you have... というように同じ形で出てきましたが、これが主語になる人によって変わります。

次の例を見てください。

　　He has a nice house.
　　She has a fine husband.（夫）
　　They have good teachers.
　　Mr. Ogawa has a new job.（仕事、職、勤め口、地位）
　　Mrs. Ogawa has a new blue dress.
　　Mr. Aoki and Mr. Kuroki have a new car.（新車）

　注　なお、「小川さん夫妻」は Mr. and Mrs. Ogawa です。例えば「小川家に男の子が生まれました」は、Mr. and Mrs. Ogawa have a new son. のように書きます。

人ではなくても単数なら has を使います。
　　This is a new chair. It has five legs.
　　　　（これは新しい椅子です。脚が5本付いています）

This is a new car. It has four doors.
　　　（これは新車です。4 ドアです）

Lesson 33

this と that には「これは」「あれは」などのほかに「この」「その」などの意味もあります。

　　this pen, this house, that woman

そして文の始めにも中間にももってくることができます。

　　This book is good.　　　　　This coffee is <u>cold</u>.（冷たい）
　　That <u>painting</u> is nice.（絵画）　I like this dog.

先ほどの This is a new chair. It has five legs. などは、次のように書き変えることによって、文としてはだいぶよくなります。

　　This new chair has five legs.

19. 所有を表す my, your, his, her, their, its, 's

Lesson 34

「私の～」とか「あなたの～」とか所有を表すときは、次のように書きます。以下は「～」の部分を house に置き換えた例文です。

　　My house is small.　　　　　（私の家は小さいです）
　　Your house is beautiful.　　　（あなたの家は美しいです）
　　His house is large.　　　　　（彼の家は広いです）
　　Her house is big.　　　　　　（彼女の家は大きいです）
　　Their house is new.　　　　　（あの人たちの家は新築です）
　　Our house is old.　　　　　　（私たちの家は古いです）
　　Your house is nice.　　　　　（あなたたちの家はすてきです）

そのほかの例文を続けましょう。

　　Is your father a fireman?（君のお父さんは消防士ですか）
　　My <u>older</u> brother has a grocery store.（年上の）
　　　（僕の兄さんは食料品店をやっています）
　　Her parents have a restaurant.
　　　（彼女の両親はレストランを所有しています）

人間でないときの「～の」は、
  Its tail is white.　　　　　（その〈動物の〉しっぽは白いです）
  I like the restaurant. <u>Its</u> food is very good.（レストランの）
   （私はこのレストランが好きです。ここの料理はおいしいです）

Lesson 35

　「～の」のついでに、もう一つ所有を表すものを紹介します。This is Mr. Saito's car. のように所有者がはっきりしているときは「's」で、所有の「の」を表します。「'」は、英語では apostrophe と言います。これは単語を省略したり短縮したりするときによく使う記号です。略語とは違います。

　略語は、U. S. A., LA (Los Angeles) などがそれです。縮めた言葉は、西暦2001年を '01 とか、時間の o'clock (of the clock の略) のように書いたものです。会話を文字で表すときにもよくこの「'」が見られます。（「英語の省略と短縮について」78頁参照）

  I am a teacher.　　　　= I'm...
  It is nice.　　　　　　= It's...
  You are very kind.　　= You're...
  I have...　　　　　　　= I've...

　しかし、会話を表現しない文章の場合は、It's nice. とか I'm Saito. のように略すのは、あまりよい感じを与えません。ただ「誰だれの」など、所有を表す場合には「's」とすることが書く場合にも許されているばかりでなく、正式なものとされています。

  This is Mr. Saito's hat.　　　Is this Sachiko's pen?
　国の名前にも 's を使うことがあります。
  Mount Fuji is Japan's symbol.（富士山は日本の象徴です）

Lesson 36

　人や国の名前だけでなく、「～の」ということを表すときには、「's」が使えます。
  This is the Prime Minister's residence.
   （これは首相官邸です）
  She is Mr. Saito's daughter's teacher.
   （彼女は斉藤さんのお嬢さんの先生です）

I am a carpenter's son. （私は大工の息子です）
I have a driver's license. （私は運転免許証を持っています）

Lesson 37

動物にも人間の場合と同じように「's」を使うことができます。
　　a cat's tail　　　　　　（猫のしっぽ）
　　a black cat's kittens　　（黒猫の子猫たち）
　　a lion's den　　　　　　（ライオンのすみか）
ライオンは1匹だけで生息していることはないから、複数にしましょう。lions' den のように。これは lions's den の意味ですが、「s」が重なるので「'」の後の「s」を取ってしまうのです。そして lion は複数になっても den は一つですから、正しくは a lions' den すなわち It is a lions' den. と書きます。もし den がたくさんあるなら lions' dens で、They are lions' dens. と書きます。こういうところは、英語はかなりはっきりしていて、意味を取るのに楽です。

20. the の使い方

Lesson 38

この辺でもう一つ新しいことを学んでいただきます。次の文を見てください。
　　　　The moon is beautiful. （月が美しい）
問題はこの the ですが、月（moon）のことを a moon と言うのは、おかしいということは、誰でも気付くことでしょう。月をまさか一つ二つと数える人はいないでしょうから。その上、月は水や空気と違って漠然としたものではありませんから、Moon is beautiful. とも言えないわけです。そこで英語では the という単語を使います（ドイツ語やフランス語などヨーロッパの言語には the に相当する語があります）。
いつも the で始まる語を幾つか挙げてみましょう。
　　the sun（太陽）、the earth（地球）、the world（世界）、
　　the universe（宇宙）
　　the east（東方、東部）、the northwest（北西、北西部）

43

>　　the Alps（アルプス）、the Himalayas（ヒマラヤ山脈）
>　　the Tama River（多摩川）
>　　The New York Times（ニューヨーク・タイムズ紙 ― その他、
>　　　　　　　　　　新聞名・雑誌名など）
>　　the United Nations（国際連合）
>　　the White House（白亜館 ― アメリカ合衆国大統領官邸）

　注　新聞名、雑誌名の the は文中では小文字で書きます。ただし、ニューヨーク・タイムズ社は上記のように、文中でも自紙を The と大文字にしています。

　時を表す言葉、例えば、the morning（朝）、the evening（夕方）、それに日付も the を伴います。the first（第1日）、the second（第2日）のようにです（詳しくは *Lesson* 82 ― 97頁参照）。

　しかし、ここで特に述べておきたいことは、文章を書いているとき（または話しているとき）、「ああそれだな」と読者（または相手方）にすぐそのものとわかる場合には、the を付けるということです。例えば、We have a cat. The cat's name is Yuri.（うちには猫が1匹います。名前はユリです）のようにです。同じく We have a very clever dog. The dog's name is Ben.（うちの犬はとても利口です。名はベンと言います）のようにです。the cat's, the dog's はそれぞれ「その猫の」「その犬の」という意味です。

　何も犬や猫に限らず、何でも「それ」とすぐわかる物なら the を付けた方が文はよくなります。

>　　The train is late.（列車が遅れています）

　この場合には「その列車」、つまり話の前後の関係で、読者にすぐ「ああ、あの列車が遅れているのだな」と、わかることになります。

　「水」には「a」は付かないと言いました。しかし、ある文章の中で誰かが The water is very cold. と言ったとします。そうすると読者はすぐ、それはその誰かが触れるか飲むかした「特定の水」だということがわかるでしょう。ですから、the は言葉の意味をはっきりさせ、文の全体の意味を正確にする大切な役目を果たす便利なものです。人によっては、英語の the の使い方は難しいと言います。日本語には無いものなので、もっともな苦情かもしれません。しかし、ほかのヨーロッパの言語にもあるものですから、やはりあった方が便利なのだ、と私は思っています。

21. of の使い方

Lesson 39

　この the の使い方は、of という言葉を習うと、一層楽になってきます。楽というよりは楽しくなると言った方がいいくらいです。

　さて、この of は前に出てきた 's と似ています。ただ 's の方は、主に人間とか動物の場合に使う、と習いました（*Lesson* 35 ～ 37 参照）。しかし「学校の門」とか「街の名」とか、生きたものでなくても、「の」の付く場合はいくらでもあるわけです。そこで、of は「〜の」という意味のときには、十中八九、生物でも生物でなくても使えることになっています。

　　　A story of a dog.　　　　　　　（ある犬のある話）
　　　A leg of a table.　　　　　　　（あるテーブルの1本の脚）
次はもっと一般的な使い方の例です。
　　　The name of this street...　　　（この通りの名は〜）
　　　The motto of the company...　　（この会社のモットーは〜）
　　　The tail of the dog...　　　　　（その犬のしっぽは〜）

「この通りの名」は、一つだけその通りの名があり、ほかにはありませんから the name ですし、「その犬」にも、しっぽは何本もあるわけではありませんから、the tail でいいことになります。ここでは The dog's tail is... と書いてもかまいません。しかし「尾」についての話を書くのでしたら「尾」を先に出した方が面白味があるでしょう。

Lesson 40

　随分いろいろ学びました。何事も初めが大事だと言います。この辺で今までのところを振り返って、要点をまとめておきたいと思います。

　A.　I am Kenichi., I am Naomi.　　　　　　　　　（*Lesson* 3）
　　　I am a student., I am a nurse.　　　　　　　　（*Lesson* 5）
　　　You are Mrs. Ito., Are you Mrs. Ito?　　　　　（*Lesson* 6）
　　　It is a love letter., Is it a rabbit?　　　　　　（*Lesson* 8）
　　　This is Sunday.　　　　　　　　　　　　　　　（*Lesson* 9）
　　　I am well., You are kind., It is good.,　　　　（*Lesson* 11）

	Am I well?, Are you well?, Is it good?	
	I am very hungry., I am very lonely.,	(*Lesson* 12)
	She is very beautiful.	
B.	I write., You read.	(*Lesson* 14)
	I write a book., You read a book.,	(*Lesson* 15)
	I like baseball., You like tennis.	
C.	I have 100 yen., I have a wife.	(*Lesson* 17)
D.	I want a friend., I want a glass., I want you.	(*Lesson* 18)
	We like Japan., They drink wine.	(*Lesson* 19)
E.	We are students., They are friends.	(*Lesson* 20)
F.	You and I, Tokyo and New York	(*Lesson* 28)
G.	I have a book., I have a good book.,	(*Lesson* 29)
	I have a very good book.	
H.	I have two sisters., I want 200 yen.,	(*Lesson* 31)
	You have three cute dogs.	
I.	He has a nice house., She has a fine husband.	(*Lesson* 32)
	They have good teachers., Mr. Ogawa has a new job.,	
	Mr. Aoki and Mr. Kuroki have a new car.,	
	This is a new chair. It has five legs.	
J.	This book is good., That painting is nice.	(*Lesson* 33)
K.	My house is small., Your house is beautiful.,	(*Lesson* 34)
	His house is large., Her house is big.,	
	Their house is new., Its tail is white.	
L.	This is Mr.Saito's hat., Is this Sachiko's pen?,	(*Lesson* 35)
	Mount Fuji is Japan's symbol.	
	I am a carpenter's son.	(*Lesson* 36)
	a cat's tail, a lion's den,	(*Lesson* 37)
	a lions' den, lions' dens	
M.	The moon is beautiful., The New York Times,	(*Lesson* 38)
	We have a cat. The cat's name is Yuri.,	
	The train is late., The water is very cold.	
	The motto of the company...	(*Lesson* 39)

22. 第三者が単独で行動する場合は注意

Lesson 41

　一つ大事なことをここまで取っておきました。それは、第三者が単独で行動するときのことを言う場合です。

　　　She likes dogs.　　　　　（彼女は犬が好きです）
　　　She hates cats.　　　　　（彼女は猫が大嫌いです）
　　　He drinks coffee.　　　　（彼はコーヒーを飲みます）
　　　He reads many books.　　（彼は本をたくさん読みます）
　　　The earth turns.　　　　（地球は回る）

　上の例題には、likes, hates, drinks, reads, turns と、行動を表す動詞にみな「s」が付いています。

　これは将来のことでも、過去のことでもなくて、現在の状態とか行動を表しています。忘れないでください。第三者が単独の場合だけです。数が増えたらまた元に戻ってしまいます。

〈単数〉	〈複数〉
I drink coffee.	We drink coffee.
You drink tea.	You drink tea.
He drinks beer.	They drink beer.
She drinks wine.	They drink wine.
It drinks water.	They drink water.

　さて、この「s」の付け方ですが、上の例のようにどの動詞にもただ「s」を付け加えさえすればよいというのではありません。名詞の複数の「s」のときのように（*Lesson* 22, 23, 24, 25 参照）ちょっとしたルールがあります。下の例を見てください。

Aグループ：	「s」だけを付ける	
come	comes	（来る）
drink	drinks	
sing	sings	（歌う）
write	writes	

Bグループ：	「es」だけを付ける	
catch	catches	（捕える）
do	does	（する）
fish	fishes	（釣りをする）
go	goes	（行く）
watch	watches	

Cグループ：	語尾の「y」を「i」に換えて「es」を付ける	
cry	cries	（泣く）
dry	dries	（乾かす）
fly	flies	（飛ぶ）
fry	fries	（〈油で〉揚げる）
try	tries	（試みる）

ここからは、「練習問題」の答えを書き込む余白を設けてありませんので、ご自分のノートブックやパソコン（ワープロ）を使って答えを書いてください。

[練習問題]
(1) 彼は「ニューヨーク・タイムズ」を読みます。
(2) 彼女はおいしい料理（tasty food）を作ります（cook）。
(3) 赤ちゃん（baby）はミルクを飲む。
(4) 犬が猫を襲う（attack）。
(5) 山本さん（Mr.）はウイスキー（whiskey）を飲みます。

23。 度合いや程度を表すいろいろな言葉

Lesson 42

私たちの行動とか、「好きだ」「欲しい」などという気持には、度合いや程度があるものです。それは次のように表します。

第1部　単　文

　　　I like coffee very much.　　　（私はコーヒーが大好きです）
　　　Sachiko sings beautifully.
　　　　（幸子は歌を美しく〈上手に〉うたいます）

注　beautifully は副詞です。sing という行動を修飾しています。

　このように程度を表す言葉は、大抵文章の後に来ます。私たちがよく使う Thank you very much. も、実はこの形なのです。これは元来、I thank you very much. でしたが、いつのまにか「I」が抜けてしまいました。
　では次の二つの文を比べてみてください。
　　　Sachiko is a beautiful woman.（幸子は美しい〈女性〉です）
　　　Sachiko sings beautifully.
「美」という観念は beauty と言います。それが、「美しい」と言うときには beautiful となり、「美しく」と言うときには beautifully となります。この変化の仕方は、ほかの単語にもよく見られることなので、ぜひ覚えておいてください。sorrow（悲しみ）という言葉を使って、例を挙げてみましょう。
　　　She has a sorrowful look.　　（彼女は悲しげな顔をしています）
　　　She talks sorrowfully.　　　　（彼女は悲しそうに話します）
　参考に、もう少しいろいろな例を挙げてみます。
　　　I write carefully.　　　　　　（私は注意深く書きます）
　　　I read slowly.　　　　　　　　（私はゆっくり読みます）
　　　You speak rapidly.　　　　　　（あなたは速く話します）
　　　He drinks coffee quickly.　　（彼はコーヒーを速く飲みます）
　　　He paints nicely.　　　　　　（彼は絵を上手にかきます）
　　　He paints portraits beautifully.
　　　　　　　　　　　　　　　　　（彼は肖像画を美しくかきます）
　　　They talk quietly.　　　　　　（彼ら〈彼女たち〉は静かに話します）
　　　She hugs her dog affectionately.
　　　　　　　　　　　　　　　　　（彼女は犬をかわいげに抱きます）
　　　She calls frequently.　　　　（彼女は始終電話をかけます）
　　　Mr. Hoshino talks rarely.　　（星野さんはあまり話しません）

Lesson 43

次に、Sachiko is a very beautiful woman., Sachiko sings very beautifully. の very に注意してください。very は beautiful（形容詞）や beautifully（副詞）を修飾しています。

  My grandfather walks very slowly.
   （私のおじいさんはすごくゆっくり歩きます）
  Mary kisses her baby very affectionately.
   （メアリーは彼女の赤ちゃんに愛情深くキスします）
  You spend your money very quickly.
   （あなたはお金をすぐに使ってしまう）

Lesson 44

上の例のように副詞は、全部が全部 ly で終わるのではないことは very much（*Lesson* 42 参照）の例でもおわかりでしょうが、ほかにも幾つか ly で終わらない、しかもよく使われる語があります。

  My father walks very fast. （私の父はとても速く歩きます）
  You study very hard. （あなたは一生懸命勉強するね）
  They like it <u>very well</u>.（very much）
   （彼女たち〈彼ら〉はそれがとても好きです）

Lesson 45

程度が過ぎることがあります。そのときには You work too hard. のように書きます。「あなたは働き過ぎる」とか「勉強が過ぎる」という意味です。この too の使い方を覚えると、いろいろ面白い言い方が書けます。

  I eat too much.   （私は食べ過ぎだ）
  You sleep too much. （あなたは寝過ぎだ）
  She likes chocolates too much.
   （彼女はチョコレートに目がない）
  He drinks too much too often.
   （彼は始終酒を飲み過ぎます）

Mrs. Ito talks too fast.
　　（伊藤さんの奥さんは早口過ぎる）
She calls friends too frequently.
　　（彼女は友だちに電話をかけ過ぎです）
You type too slowly.
　　（君はタイピングが遅過ぎるよ）
I love Sachiko too intensely.
　　（僕は幸子をあまりに愛し過ぎるのさ）

　注　チョコレートが複数になっているのは、いろいろな種類のチョコレートという意味です。

　too は、行動だけでなく、いろいろな状態の描写にも使うことができます。
　　　I am too sleepy.　　　　　（眠くてしょうがない）
　　　You are too generous.　　（あなたは気前がよ過ぎます）
　しかし、これは実は不完全な文章で、I am too sleepy. は、「私はとても眠くてもう～をすることができない」といったような言葉が後に続くのが普通です。
　You are too generous. とは、人に物をもらうときによく言う表現で、一応慣用句として使われています。You are too kind. とも言います。

24. 便利な there is, there are

Lesson 46

　英語には次のような便利な形があります。
　　　There is a pen.　　　　There are many pens.
　これはそれぞれ「ペンが1本あります」「たくさんのペンがあります＝ペンがたくさんあります」という意味です。
　しかし、これだけでは面白くありません。何かがあるからには、どこにあるかをはっきりさせたくなるものです。そんなときは、次のように書きます。
　　　There is a nice house there.
　始めと終わりに there があるので、ちょっとおかしく感じるかもし

れませんが、最後の there は「あそこに」とか「その場所に」といった意味です。ですから、これは「あそこにすてきな家があります」という意味になります。もう少し例を挙げてみましょう。

  There is my house there.（あそこに私の家があります）
  There is our town there.（あそこに私たちの町があります）
  There is a tall tree there.（あそこに高い木があるよ）

同じことでも会話になると次のように言います。

  There is my house over there.
  There is our town over there.
  There is a tall tree over there.

ここまでは単数の例題で、以下は複数の例題です。

  There are several bicycles there.
   （あそこに数台の自転車があります）
  There are many boys there.
   （あそこに大勢の少年がいます）
  There are very many animals there.
   （あそこにとてもたくさんの動物がいます）

これで形はわかりましたが、いつも there, there と言ってばかりいたのでは能がなさ過ぎます。「大勢の少年」は「公園に」、「とてもたくさんの動物」は「動物園に」と言わなければ、文章としてよくありません。場所の表し方は次の通りです。

  at my house （私の家には）
  at our school （私たちの学校には）
  at the park （公園には）
  in our town （私たちの町には）
  in our country （私たちの国には）
  in Japan （日本には）
  in the world （世界には）

さて at や in の位置ですが、これは日本語の「には」と全く逆です。これは大事な点ですから、決して忘れないように願います。

次に at と in の違いですが、中にすっぽり入ってしまうときには大体 in を使います。しかし、room は house より実際には小さいのですが、in the room という形を使うのが普通です。I am in my room.（私は自分の部屋にいます）のようにです。

では、There is..., There are... の形を使っていろいろ文を書いてみましょう。

There is a dog at that house.（あの家には犬がいます）
There is a zoo in our city.　（僕たちの市には動物園があるよ）
There is a park in Takasaki.（高崎には公園があります）
There is a pond in the park.　（その公園には池があります）
There are many rocks in the pond.
　　（その池には岩がたくさんあります）
There are six mats in this room.（この部屋は6畳です）
There are a table and a chair in this room.
　　（この部屋にはテーブルと椅子があります）
There is a meeting at our school.
　　（私たちの学校で会合があります）
There is a ball game at the park.
　　（その公園で野球の試合があります）

最後の二つの例には、ぜひ「いつ」という時間的なことを付け加えたいところです。時間の観念は大体一番後に付けます。こういうところにも日本語と英語の大きな違いがあります。

There is a meeting at our school <u>today</u>.（きょう）
There is a ball game at the park <u>this afternoon</u>.（この午後＝きょうの午後）

There is..., There are... の形を疑問文に変えるのはいとも簡単です。

〈普通文〉	〈疑問文〉
There is an <u>air conditioner</u> in this room.（エアコン）	Is there an air conditioner in this room?
There is a <u>baseball field</u> at our school.（野球場）	Is there a baseball field at our school?
There is fresh water in that <u>jar</u>.（つぼ）	Is there fresh water in that jar?

［練習問題］
(1) 君の学校にはプール（swimming pool）があるかい。
(2) 私の会社には体育館（gymnasium）があります。
(3) アメリカ合衆国（the United States of America）には50の州（state）があります。

(4) 野尻には美しい湖 (lake) があります。
(5) その箱の中には 10 本のたばこ (cigarette) が入っています。

25. in the morning, at noon などの表し方

Lesson 47

一日の時間の観念や日にちなどは次のように表します。

in the morning	（午前中）
at noon	（正午に）
in the afternoon	（午後に）
in the evening	（夕方に、晩に、夜に）
at night	（夜に）
at midnight	（真夜中に）
this morning	（けさ、きょうの午前）
this afternoon	（きょうの午後）
this evening	（きょうの夕方、今晩、今夜）
tonight	（今夜）
last night	（昨夜）
yesterday	（昨日、きのう）
(the) day before yesterday	（一昨日、おととい）
two days ago	（二日前）
tomorrow	（明日、あす）
(the) day after tomorrow	（明後日、あさって）
in two days	（二日後）

ちょっと見たところ in two days は「二日のうちに」のような感じがしますが、これは「二日後には」または「二日間」の意味です。

last week	（先週）
two weeks ago	（2週間前）
next week	（次週）
in two weeks	（2週間後に、2週間で）
this month	（今月）
this year	（今年）
last year	（昨年、去年）

では、できるだけたくさん例文を挙げてみましょう。
>There is one mail delivery in the morning.
>>（午前に1回郵便配達があります）
>There is a break at noon.
>>（正午に休憩があります）
>There is tea in the afternoon.
>>（午後にお茶が出ます）
>There is a good show in the evening.
>>（晩に面白い映画〈またはテレビなどの番組〉があります）
>There is a snack at night.
>>（夜には軽食が出ます）
>There is an inspection at midnight.
>>（真夜中に検査〈または点検〉があります）
>There are English lessons this morning.
>>（朝に英語の授業があります）
>There are many good games this afternoon.
>>（きょうの午後は面白い試合がたくさんあります）
>There is a boxing match this evening.
>>（今晩ボクシングの試合があります）
>There is a TV concert tonight.
>>（今夜テレビでコンサートがあります）
>There are five Sundays this month.
>>（今月は日曜日が5回あります）
>There are 366 days this year.
>>（今年は366日あります）

その他の例は、未来と過去の形を学ぶときにしましょう。

26. above, by, on, under の使い方

Lesson 48

「上に」「下に」「そばに」などは次のように表します。
>There is a Coke (Coca-Cola) bottle on my desk.
>>（私の机の上にコカコーラの瓶があります）

There is an ashtray by the ink pad.
　　（スタンプ台のそばに灰皿があります）
There is a light above the desk.
　　（机の上の方に電灯があります）
There is a wastebasket under the desk.
　　（机の下に紙くずかごがあります）

　同じ「上に」でも離れて上の方にあるときは、above か over を使います。on のときは上にのっていなければなりません。だがこういう言い方があります。There is a village on the river. これは「川に面した〈接した〉ところに村があります」という意味で、川面の上にという意味ではありません。よく間違えますから注意してください。

　「上の方に」は over を使うと上述しましたが、前の会話体のところでは There is my house over there. と言いました（*Lesson* 46 参照）。会話での over は、there を多少強調したに過ぎません。一つの言葉が二通りに使われることがよくあります。over はその一例です。

　on にはいろいろな用法がありますが、「〜に関する」とか「〜の用件で」の意味でもよく使われます。下の例文を見てください。

　　I like books on history.　（私は歴史に関する本が好きです）
　　He is <u>away</u> on business. (不在、留守)
　　　（彼は商用で出掛けています）

Lesson 49

　この辺りでまた、これまでの練習をまとめることにしましょう。ここに出ている問題を完全にできるようになるまで、次に進まないでください。また、練習に取り掛かる前にもう一度 *Lesson* 1 から *Lesson* 48 までを読み返してください。そしてこれまでに得た知識の整理ができたら、次の「練習問題」を英語で書いてみましょう。

　［練習問題］
　（1）誠司です。
　（2）山本五郎
　（3）私は教師です。
　（4）私は芸術家（**artist**）です。
　（5）あなたはベイカーさん（**Mr. Baker**）ですか。

(6) あなたはベイカーさんの奥様でいらっしゃいますか。
(7) あなたはイギリス人 (English, Englishman) ですか。
(8) それは切符 (ticket) です。
(9) それは週刊誌 (weekly magazine) です。
(10) それは帽子 (cap) ですか。
(11) これは留守番電話器 (answer phone, answering machine) です。
(12) あれは CD プレーヤー (CD player) です。
(13) きょうは土曜日です。
(14) あれはデジタル・カメラ (digital camera) ですか。
(15) あなたはきれいですね。
(16) あなたはお元気ですか。
(17) これはパンです。
(18) それは新しいかしら。
(19) あの人 (男) は淋しいのかしら。
(20) 私はとてものどがかわいて (thirsty) います。
(21) あの方 (女) はとても親切なの。
(22) 英語はやさしいですか。
(23) 私はカクテル (cocktail) が好きです。
(24) 私はこれが欲しい。
(25) 煙 (smoke) の匂いがする。
(26) われわれは平和を要求 (want) する。
(27) うちにはとてもかわいい犬がいます。
(28) 名はピックル (Pickle) です。
(29) 私は 100 ドル持っています。
(30) 私には伯父が一人います。
(31) 妹が欲しい。
(32) あなたはアメリカが好きですね。
(33) 私の父は実業家です。

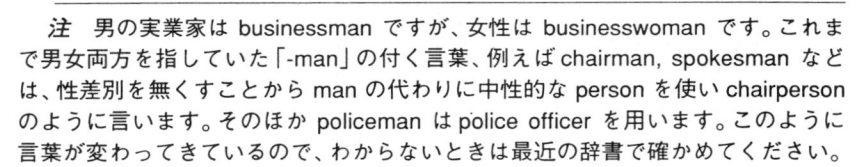

注　男の実業家は businessman ですが、女性は businesswoman です。これまで男女両方を指していた「-man」の付く言葉、例えば chairman, spokesman などは、性差別を無くすことから man の代わりに中性的な person を使い chairperson のように言います。そのほか policeman は police officer を用います。このように言葉が変わってきているので、わからないときは最近の辞書で確かめてください。

(34) 彼女は音楽家 (musician) です。

(35) 私たちは大学生 (college student) だ。
(36) 私は二つ腕時計を持っています。
(37) ハエが3匹見える (see)。
(38) 子供が大勢動物園にいます。
(39) ブラックさん (**Mr. Black**) はアメリカ合衆国の役人です。
(40) リンゴ一つとオレンジ一つ欲しいわ。
(41) 私はとてもよい自転車を持っています。
(42) 山田さんの奥さんはとても忙しい家庭の主婦です。
(43) 君の学校には新任の先生が来たね。
(44) それはとてもいい映画 (**movie**) です。
(45) 新しいエアコンと冷蔵庫 (**refrigerator**) が欲しいね。
(46) 私の父はいい職に就いています。
(47) トンプソン (**Thompson**) 家に女の子が生まれ (**new baby girl**) ました。
(48) この新車にはドアが4つあります。
(49) このコーヒーは冷たいわ。
(50) 僕はこの猫が好きだ。
(51) この青い帽子には赤いリボン (**ribbon**) が付いている。
(52) 君の家は随分大きいね。
(53) 彼らの家はあの白い家です。
(54) 私の両親は軽井沢に小さな別荘 (**cottage**) を持っています。
(55) 私は新鮮なリンゴジュース (**apple juice**) が好きです。
(56) これは山本さん (**Mr.**) の車だ。
(57) これは吉田君のオーバー (**overcoat**) かな。
(58) ここは外相 (**Foreign Minister**) 官邸です。
(59) 彼はバックさん (**Mr. Buck**) の娘さんの先生です。
(60) 運転免許証が欲しいのです。
(61) アフリカ (**Africa**) にはライオンのすみかがたくさんある。
(62) 日が出た。(「日が出ている」と同じ **be out** の形を使います)
(63) この水は汚れている (**dirty**)。
(64) この通りの名は「中央通り」です。
(65) きょうは木曜日ですか。
(66) バスが遅いね。
(67) 私の夫は町の騒音 (**street noise**) が嫌いでして。
(68) 夫は外国の (**foreign**) 雑誌をたくさん読みます。

第 1 部　単　文

(69) たばこを吸いますしお酒も飲みます。
(70) コーヒーがとても好きです。
(71) 彼女は歌を上手に (well) うたいます。
(72) 彼は風景画 (landscapes) を上手にかきます。
(73) あまり口をきき (quiet) ません。
(74) 彼は私をとても愛してくれます。
(75) あなたは働き過ぎです。
(76) 東京には大学がたくさんある。
(77) 北海道には大きな農場 (farm) がたくさんあります。
(78) 海岸には (by the ocean) 立派なホテルが (fine hotel) たくさん並んでいます。
(79) 日本は島 (island) が多いです。
(80) 私の部屋には電気ストーブ (electric heater) があります。
(81) この部屋は八畳です。
(82) きょうの午後、公園でサッカー (soccer) の試合があります。
(83) きょう正午にクラス会 (class meeting) があります。
(84) 今月は31日ある。
(85) 駅 (station) のすぐそばに大きな工場 (factory) があります。
(86) 屋根 (roof) の上に猫がいます。
(87) 君の頭の上に電灯があるよ。
(88) 私は地理 (geography) に関する本が好きです。
(89) 私たちの町には映画館 (movie theater) があります。
(90) あの人 (男) は電話を始終かけてきてうるさくてしょうがない。(「うるさくて」は訳さなくてよいです)
(91) 君は食べ方が早過ぎるよ。
(92) 彼女は興奮して (excitedly) 話すんだよね。
(93) あなたは横柄な (arrogantly) 口をきくね。
(94) 私はイギリスのタイムズ紙 (*the Times*) を読みます。
(95) 100万 (million) 円欲しいな。
(96) あなた方は中国の人ですか。
(97) 東京とニューヨークは姉妹都市 (sister city) です。
(98) 君の部屋にはパソコン (personal computer, PC) があるんですか。
(99) あなたの学校には大きなプールがありますか。
(100) 日本には車 (car) がたくさんありますか。

書く英語・基礎編

27. 頼んだり命令する文の作り方

Lesson 50

　人に何かを頼んだり、命令したりするときには、英語では行動を表す語をそのまま用います。また、行動を表す語を文法では動詞（verb）と呼ぶことは前に述べました。

　　　Walk.　　　　　（歩きなさい。歩け）
　　　Run.　　　　　（走りなさい。走れ。逃げろ）
　　　Eat.　　　　　（食べなさい。食べろ。さあ食え）

　これらの表現をを強く言う場合、文の末尾に「！」を付けます。上の「逃げろ」「さあ食え」などは、exclamation mark があった方が感じが出ます。

　　　Run!　　　　Eat!　　　　Fire!（発砲しろ。射て）
　　　Come!（来い）　Go!（行け）

　そして、丁寧にものを頼むときは、please という語を頭に付けます。日本語の「どうぞ」に当ります。

　　　Please walk.　　Please eat.　　Please come.　　Please go.

　後に付け加えることもできますが、頭に付けたときの方が「どうぞ」という感じが強くなります。後に書く場合には comma が必要です。

　　　Walk, please.　　Eat, please.　　Go, please.

　注　余計なことかもしれませんが、実は please も英語では、行動を表す語で、「欲する」「要望する」という意味です。これは本当は、if you please または may it please you（いずれも「もしあなたにそのお気持があるなら」といった意味）と言うべきものですが、これは古い形で、今はほとんど使われません。

Lesson 51

　依頼したり命令するときには次の形がよく使われます。

　　　Please do this.　　　　　（これをやってください）

　do は「〜をする」というかなり強い意味を持つ単語です。walk, run, eat などの単語もこの形をまねして使ってかまいません。いろいろ例を挙げてみましょう。

[例題]
 Please eat it.　　　　　　　（それを召し上がってください）
 Please write a report.　　　（報告書を書いてください）
 Please read a story.　　　　（物語を読んでください）
 Please cook this fish.　　　（この魚を料理してください）
 Please mail this letter.　　（この手紙を出してください）
 Please put a stamp on it.　（切手をそれに張ってください）

Lesson 52

 Lesson 42〜45 で、程度の表し方を学びました。ここでそれを活用することができます。

[例題]
 Please walk slowly.　　　　　（ゆっくり歩いてください）
 Run quickly.　　　　　　　　（速く走りなさい）
 Speak politely.　　　　　　　（丁重に話しなさい）
 Count accurately.　　　　　　（正確に数えなさい）
 Fight bravely.　　　　　　　（勇ましく闘え）
 Please write a report quickly.（報告書を急いで書いてください）
 Please cook this meat slowly.（この肉をじっくり煮てください）
 Put a stamp on it securely.（切手をそれにしっかり張りなさい）

[練習問題]
 (1) 泣け。
 (2) あやまれ (apologize)。
 (3) 喜べ (rejoice)。
 (4) 眠れ。
 (5) 歌え。
 (6) あなたの事務所に電話して (call) ください。
 (7) これをゆっくり飲んでください。
 (8) その本を速く読んでください。
 (9) これを完全に (completely) 暗記 (memorize) してください。

書く英語・基礎編

28. to の使い方

Lesson 53

ここで to の使い方を少し学んでおきましょう。依頼や命令の形を作るのにどうしても必要ですから。to は方向や目的を表します。

[例題]
 Go to the office.   （事務所へ行きなさい）
 Go to the station.   （駅へ行きなさい）
 Walk to your school. （歩いて学校へ行きなさい）
 Run to your house.   （走って家へ行きなさい）
 Turn to the right.   （右へ曲がりなさい）
 Turn to the left.   （左へ曲がりなさい）

[練習問題]
(1) 郵便局（post office）へ行ってきてください。
(2) スーパー（supermarket）まで歩いて行きなさい。
(3) 学校へ駆けて行きなさい。
(4) 私の家まで歩いて来てください。
(5) どうかお父さんのところへ行ってください。
(6) お父さんのところへ戻り（go back）なさい。

Lesson 54

一つの文でも、途中で行動が二つに分かれることがあります。そんなときは、次のように書きます。

 Turn to the right and turn to the left.
  （右へ曲がってそれから左へ曲がりなさい）
 Go to the post office and mail this letter.
  （郵便局へ行ってこの手紙を出してくれ）
 Go to the station and meet your friend.
  （駅へ行ってあなたの友だちに会いなさい＝駅へ友だちを迎えに行きなさい）

Go and see your doctor.
　　（行ってお医者に会いなさい＝お医者さんへ行って診てもらいなさい）
Chew your food slowly and swallow it.
　　（食べ物はゆっくりかんでから飲み込みなさい）

29. . , ; : ? ! " " ' ' などの記号

Lesson 55

　書く英語に使う記号の正式な名称を、ここで一応全部習っておきましょう。詳しくは『書く英語・実用編』で説明してあります。

.	period	（終止符）
,	comma	（句点）
;	semicolon	（セミコロン）
:	colon	（コロン）
?	question mark	（疑問符）
!	exclamation mark	（感嘆符）
-	hyphen	（ハイフン）
──	dash	（ダッシュ）
" "	quotation marks	（引用符 － double）
' '	quotation marks	（引用符 － single）

　これからは英語の名称を用います。今までに使用したのは、period「.」、comma「,」、question mark「?」と exclamation mark「!」でした。これらの記号の使用法はもうおわかりのはずです。その他の記号が使われる場合は、例題を示すときに説明します。

30. 便利な here is, here are

Lesson 56

　ここで、もう少し英語の中の便利な言葉を習っておきましょう。その第一は、here です。次のように使います。
　　　Here is your key.　　　（ここにあなたのかぎがあります）
　これは前出の There is... と全く同じ形です。
　　　Here is my house.　　　（私の家はここにあります）
　　　Here is our school.　　（ここに私たちの学校があります）
　　　Here are our children.　（うちの子供たちはここにいます）
　ところが困ったことに、there is の場合と違って、here is は疑問文の形にする術を持ち合わせていません。つまり、Is here your school? とは言えないのです。これには理由があります。Here is our school. というのは、実は Our school is here. を逆に言ったものなのです。
　　　Our school is here.→ Here is our school.
　ですから、疑問文の形にするときは、元の形に直してからでないとできないのです。つまり、以下のようになります。
　　　Here is your school.　　→ Your school is here.
　　　　　　　　　　　　　　　→ Is your school here?
　　　Here are our children. → Our children are here.
　　　　　　　　　　　　　　　→ Are our children here?

Lesson 57

　here はまた次のように使います。
　　　Come here.　　　（ここへ来なさい）
　Come to here. とは言いませんから特に覚えておいてください。

　注　See here. とか Look here. と言うことがありますが、これは会話で「ほら」とか、「ちょっと」というような意味の言葉で、あまり書く英語には関係ありませんが、ただ参考までに紹介しておきます。また同じく会話で Here we go! とか Here we are! という言い方をお聞きになったことがあるでしょう。それぞれ「行くぞ！」「さあ着いた！」の意味です。

第 1 部 単 文

31. 名詞の代用語（代名詞）にはどんなものがあるか

Lesson 58

行動の目的や to の目標になるものに、いちいち具体的に「何々」「誰だれ」と言わずに、以下のように代用語（下線部分）を使うことができます。代用語を文法用語では、代名詞（pronoun）と言います。

[例題]
　See your doctor and ask him.
　　（お医者さんに会って聞きなさい）
　You have a mother. Go back to her.
　　（あなたには母親がいるのです。彼女のところに帰りなさい）
　Here is my calculator. Use it.
　　（ここに僕の電卓がある。使っていいよ）

先に I want you. とか I love you. という文について述べました。この you は、You read many books. の場合の you とはちょっと違った立場にあるものですが、形が全く同じなので使っていました。it もそうです。例えば、It is nice. の it と Please eat it. の it は位置が違うと同時に、立場も違うものなのです。大体において、ある行動の目的とか to の目標になる言葉は、日本語では「～に」とか「～を」という形で表される言葉に該当します。

では、代名詞の使い分けの全部を次頁（66頁）の表で見てください。たいして難しい単語ではないし、数もわずかですから、みんな覚えておきましょう。これらを使うことによって、英語の文章は非常に意味がはっきりしてきます。

よく日本語では「きのう山田に会ってさ、そしたらたまには来いって言ってたよ」などと言います。これは話している当人が山田という人に会ったことはわかりますが、山田が誰に来いと言ったのかは正確にはわかりません。話している人と、聞いている人と、山田の3人の関係がはっきりしないからです。しかし英語では、赤の他人が聞いていても、山田が来いというのは誰のことか、すぐわかるようになって

代名詞の一覧表

	は・が	の（のもの）	を・に	が
私	I	my（mine）	me	
私たち	we	our（ours）	us	
あなた	you	your（yours）	you	
彼	he	his	him	
彼女	she	her（hers）	her	
それ	it	its	it	
彼(ら)たち 彼女(ら)たち それら	they	their（theirs）	them	

注　「～のもの」を表す mine, ours, yours などの用法は本書では省きます。

います。なぜなら英語では、He wants us. か He wants me. か He wants you. か、この中のどちらかを言わないと文にならないからです。では、me, us, you, him, her, it, them を実際に使ってみましょう。

［例題］
Give it to me.	（それを私によこしなさい）
Send us an E-mail.	（電子メールを送ってください）
He likes you.	（あの人〈彼は〉あなたが好きよ）
I know him very well.	（私は彼をよく知っています）
Love her tenderly.	（〈彼女を〉優しく愛してやれよ）
I see it clearly.	（〈それは〉よく見えます）
Call them at once.	（すぐに彼ら〈彼女たち〉を呼びなさい）

　例題の最初の Give it to me. は、英語らしい明解な文の形なので、特に留意してください。これは Give me it. と書いても間違いではあ

りません。なぜなら「私に水を下さい」は、Give me water. ですから、言葉の順序としては正しいのです。ただ少しごろが悪い。では、Give it me. とはできないのでしょうか。こう書くと「それに私を与えよ」となってしまいます。まるでライオンに自分を食べさせるようなことになって駄目です。それで、Give it の目標を me とはっきり定めるために、Give it to me. とします。同じく Give it to him., Give it to her. などと言うことも可能です。

［練習問題］
(1) ここへ来てそれを見て（look at）ごらん。
(2) メアリーは上手に歌います。彼女はまだ（only）12歳（twelve years old）です。
(3) これはブラジルの（Brazilian）コーヒーね。私の夫が好きよ。
(4) これはきれいなバラですね。色（color）が好きです。
(5) 伯母（aunt）さんを迎え（see, meet）に駅へ行きなさい。家へ連れて（bring）おいで。
(6) それを机の上に置いて（put）ください。

32. for, against, before, after の使い方

Lesson 59

行動や位置や方向などを示す語で、原則的に目的語（名詞、代名詞）の前に置かれる、いわゆる前置詞の中で既に次の語を学びました。at, above, by, in, on, over, to, under などです。このほかに for という語があります。次の例を見てください。

  There is a letter for you.
  This is for me.
  The package on the table is for your sister.
  This train is for Kyoto and Osaka.

それぞれ「あなた宛の手紙が来ていますよ」「これは僕のだ」「テーブルの上の包は妹さんのですよ」「この列車は京都・大阪行きです」の意味です。

for はまた金額を表すときにも使います。
  They are ten for 200 yen.（10個で200円です）
上記の for Kyoto and Osaka のように、目標や目的を表す使い方もたくさんあります。例えば以下のようにです。
  This house is for rent. （この家は貸家です）
  This car is for sale. （この自動車売ります）
  Go out for a walk. （散歩に行ってきなさい）
「何々の割には」といったような意味のときにも使えます。
  This is cheap for one thousand yen.
   （1,000円にしては安いね）
  He looks young for his age. （彼は年の割には若く見えます）
「時間」「期間」などにも for を使うことができます。
  Wait here for ten minutes. （ここで10分待っててね）
要するに、for は非常に便利な単語なのです。例題をしっかり覚えて利用してください。

[例題]

 I am for the plan. （私はその計画に賛成です）
 I feel for you. （同情するよ）
 It is good for you. （それはよく効くよ — 薬などに言う）
 This money is for her. （このお金は彼女のものです）
 Die for your country.
  （国のために命を捧げよ — 戦争中よく使われた言葉）
 Work hard for your company.
  （会社のために懸命に働け — どこかの国でよく使われた言葉）
 Is this the bus for downtown? （このバスは都心行きですか）
 The eggs are ten for 200 yen. （この卵は10個200円です）
 Lot for Rent （貸地）
 Apartments for Rent （貸アパートあり）
 Used Cars for Sale （中古車売ります）
 He is smart for his age. （彼は年の割には賢いね）
 My father is in Kyushu on business for a week.
  （父は仕事で九州に一週間行っています）

第1部　単　文

［練習問題］
(1) 彼らは君に賛成だ。
(2) これは私に効きますか。
(3) あの人たちはあなたに同情しています。
(4) この封筒 (envelope) はお父さん用ですよ。
(5) 妻や子供のために働け。
(6) この列車は東京行ですか。
(7) このクリスマス・カード (Christmas card) は3枚500円です。
(8) 「売地」
(9) このワープロ (word processor) 売ります。
(10) 君はルーキー (rookie) にしてはよく打つ (hit) な。
(11) ここに1日 (day) 泊まり (stay) なさい。
(12) 1分間息 (breath) を止めて (hold) ごらん。

Lesson 60

for とは全く反対の意味の言葉があります。against です。for が次に来る言葉の方に傾くことを意味するなら、against は反対の方向に向かうことを表すとみていいでしょう。

［例題］
I am against it.　　　　　（私はそれに反対です）
He is against you.　　　　（彼は君と敵対している）
Go against the current.　　（川の流れと反対に進め）
It is against my wishes.　　（それは私の希望に反します）

［練習問題］
(1) 私たちはその提案 (proposal) に反対投票 (vote) をします。
(2) 風 (wind) に向って走ってごらん。
(3) 君は僕に賛成かい。反対かい。

Lesson 61

「前」と「後」は before と after で表します。

[例題]
　　Come before supper.　　　（夕飯前においで）
　　Christmas comes before New Year's Day.
　　　（クリスマスはお正月の前に来ます）
　　I often work after midnight.
　　　（私はよく夜半過ぎてから仕事します）
after には「求めて」「追いかける」という気持もあります。
　　Female lions go after food.
　　　（雌のライオンは食物を追い求める）
　　That man is after me.　　（あの男は私を狙っている）
時間を表すときにも before や after が使われます。
　　ten minutes before five　　（5時10分前）
　　fifteen minutes after six　　（6時15分過ぎ）
　時間の書き方はまだほかにもありますので、これだけだと思わないでください。項を改めて扱います（*Lesson* 82〜85—97〜101頁参照）。
　この種の働きをする言葉を、いちいち別個に話していたのでは時間ばかり取りますから、例題として出てきたときに注意を払うことにして、次に移ります。

33. what, who, where, whose はどのように使うか

Lesson 62

　英語の最も基本的な文をもう一度見てください。それは今までのところ次のような文でした。
　　　It is a book.　　　　　I am hungry.
　　　He likes music.　　　 Walk slowly.
　このうちの最初の文、すなわち It is a book. は、「それは何ですか」という問いに対する答えとも考えることができます。
　では「それは何ですか」を英語で何と言うかというと、「何」と聞いていることが一番大事なところで、What is this? のように、「何＝what」を頭にもってきます。
　what を使っていろいろなことを尋ねる文を書いてみましょう。

第 1 部　単　文

[例題]
What is this?	（これは何ですか）
What is it?	（それは何ですか）
What is that package?	（あの包みは何ですか）
What are these boxes?	（これらの箱は何ですか）

What is he?
　（「彼は何ですか」とは、職業などを聞いています）
What are you?
　（「あなたは何ですか」も同じく職業や役職などを聞いています。多少ぶしつけに）
What is the name of this city?
　（この市の名は何ですか）
What is the price of this painting?
　（この絵の値段はいくらですか）
What is the meaning of this?
　（この意味は何ですか。これはどういうことですか）
What is today?
　（きょうは何ですか ─ 曜日を聞いています。日にちではありませんから注意してください。日にちを聞くときは、What is today's date? と言います）

「きょうは何曜日ですか」の「何曜日」は What day? と言うこともあります。What day is this? と、What day? の言い方にならえば、次のようなことが言えます。

[例題]
What station is this?	（これは何駅ですか）
What time is it?	（何時ですか）

[練習問題]
（1）この紙（paper）は何ですか。
（2）あの建物（building）は何ですか。
（3）彼は誰ですか。
（4）この書類（papers ─ 複数にする）は何ですか。
（5）この乗用車の値段はいくら。
（6）この島は何という島ですか。

71

書く英語・基礎編

Lesson 63

who は「誰」という意味です。文の作り方は what の場合と全く同じです。

[例題]
Who is that gentleman?　　（あの紳士は誰ですか）
Who are you?
　　（あんたは誰だい ― かなり失礼な言い方）
Who is the <u>head</u> of your school?（長、頭）
　　（あなたの学校の校長先生はどなたですか）

[練習問題]
(1) あの女性は誰ですか。
(2) おまえたちは誰だ。
(3) この会社 (company) の社長 (president) は誰ですか。
(4) 彼は誰ですか。誰が私の家庭教師 (tutor) なのかな。
(5) 私の部屋にいる人は誰かしら。

Lesson 64

where（どこ）も who と同じように使います。

[例題]
Where is Mr. Tanaka?　　　（田中さんはどこにいますか）
Where is my watch?　　　　（私の時計はどこにあるのかな）
Where are my glasses?　　　（私の眼鏡はどこにあるのだろう）
Where is Haiti?　　　　　　（ハイチってどこにあるの）

[練習問題]
(1) あなたのお母さんはどこにいるの。
(2) 郵便局はどこですか。
(3) あなたのご両親はどこにいらっしゃるのですか。
(4) ここはどこですか。(「私はどこにいるのか」と書きます)

Lesson 65

「何の本」は what book と言えますが、「どこの人」は where person とは言えません。しかし「誰の家」は、whose house と言うことができます。

[例題]
Whose house is this?　　　（これは誰の家ですか）
Whose shoes are these?　　（これは誰の靴ですか）
Whose job is it?　　　　　（それは誰の仕事ですか）

[練習問題]
(1) あれは誰のカバン（bag）だろう。
(2) これは誰の眼鏡だろう。（常に複数）
(3) それは誰の責任（responsibility）になるのかな。

Lesson 66

次の質問に対する答えを見てください。

[例題]
(1) 問：What is the capital of Japan?
(2) 答：Tokyo is the capital of Japan.
(3) 問：Where is Cairo?
(4) 答：It is in Egypt.
(5) 問：Who is the President of the United States?
(6) 答：Mr. Bush is the President of the United States.

注　例題(1)の答えは Tokyo is. だけでもよいことになっています。同じく例題(3)の答えも Mr. Bush is. だけで十分です。

上の例題にならって次の問題の答えを書いてください。

[練習問題]
(1) What is the capital of France?
(2) What is the capital of Italy?

(3) What is the capital of Hokkaido?
(4) What is Mr. Bush?
(5) Where is the Amazon?
(6) Where are the Alps?
(7) Who is your English teacher?（英語の先生）

34. not を使って否定する文を作る

Lesson 67

　今までは「～である」「～がある」「～であるか」「誰か」「ゆっくり歩け」など、いわゆる肯定の文の書き方だけを習ってきました。これだけで用が足りる訳はなく、「～ではない」「～がない」「～してはいけない」など、否定の文も書いてみなければなりません。英語では、ほとんどすべての否定文に not という単語を用います。not の入れ場所については例題を見て覚えてください。

[例題]
I am not sleepy.　　　　　（私は眠くありません）
I am not Goto. I am Saito.
　　（私は後藤ではありません。斎藤です）
You are not heavy.　　　　（あなたは太ってはいません）
You are not Mr. Jones. You are Mr. Johnson.
　　（あなたはジョーンズさんではありませんね。ジョンソンさんですね）
He is not tall.　　　　　　（彼は背は高くないです）
She is not my aunt.　　　　（彼女は私の伯母ではありません）
She is not too thin.　　　　（彼女はやせ過ぎてはいません）
Miss Goto is not my sister.（後藤さんは私の妹ではありません）
It is not my business.
　　（私の関心事ではないです＝私の知ったことじゃない）
It is not too late.　　　　　（遅過ぎはしません）

This is not my problem.
　　（これは私の〈解決すべき〉問題ではありません）
That is not your house.　　（あれはあなたの家じゃないよ）
These are not your books.　　（これらは君の本じゃないさ）
They are not very far.
　　（彼ら〈彼女たち〉はあまり遠くには行っていません）

では、練習をたくさんやっていただきましょう。

[練習問題]
(1) これはバラじゃない。チューリップ (tulip) です。
(2) これは私の財布 (purse, wallet) ではありません。

　注　purse は、日本では一般に「財布」と訳されていますが、アメリカでは、肩から掛けない女性のハンドバッグを意味します。wallet は札入れで、女性は、よく pocket book と言います。

(3) それはあなたのボールペン (ballpoint pen または単に pen) ではありません。
(4) きょうは日曜日ではありません。きょうは月曜日です。
(5) ここはあなたの家ではありませんよ。あなたの家はあちらにあります。
(6) あなたは私の友だちじゃない。どうぞ出てって (get out) ください。
(7) やつらは君に賛同していない。忘れて (forget) しまえ。
(8) 君は疲れて (tired) いるんじゃない。寂しいんだよ。
(9) おれは気が変な (crazy) のではない。恋をしている (in love) のだ。
(10) これは安くないわ。高い (expensive) わよ。
(11) おふろは熱くなんかない。冷たいよ。
(12) この列車は青森行です。京都行ではありません。
(13) おまえは私の息子ではない。私はおまえの父親ではない。われわれは友だちではない。われわれは何だ。
(14) 世界中 (in the world) に正義の人 (just man) 一人もなし。
(15) そんなことはない。(「それは真実 (true) ではない」と書きます)

Lesson 68

　さて、「書く」とか「飲む」という行動の否定の形、すなわち「書かない」「飲まない」という形はどう書いたらよいのでしょうか。また「好きではない」「欲しくない」という気持はどう書くのでしょうか。
　Lesson 67 の例からすれば、「私はワインを飲みません」「私はこの絵は好きじゃありません」は、I drink not wine. とか I like not this painting. とすればよさそうに思いますが、ここは英語の特徴から、もう少し意味を明確にする必要があるのです。
　つまり、I drink not wine. では、「私が飲むのはワインではない」というようにも受け取れ、「ワインが好きではない」というのであれば、何となく中途半端です。同じく I like not this painting. は、「この絵は好きではないが」といった感じがします。そこで、drink, like という言葉を直接否定する形が必要になってきます。英語ではそれを次のように表します。

　　　　I do not drink wine.　　　I do not like this painting.
　なお、これを会話のときには、少し縮めて言います。

　　　　I don't drink wine.　　　I don't like this painting.
　では例題でもっと明確にしましょう。

[例題]
　　I do not know Mr. Suzuki.　（私は鈴木さんを知りません）
　　I do not need money.　　　（お金はいりません）
　　You do not believe this.
　　　（あなたはこれを信じないでしょう＝あなたはこんな事信じられますか）
　　You do not walk very fast.
　　　（あなたはあまり早足ではありませんね）
　　We do not go to church.　　（私たちは教会に行きません）
　　They do not work very hard.
　　　（彼ら〈彼女たち〉はあまり一生懸命に働きません）

[練習問題]
　　(1) 私は今井さん (Mrs.) を存じません。
　　(2) 私はあなたが誰か知りませんよ。

(3) 金づち (hammer) は要りません。
(4) 彼女らは私を信じてくれないんだ。
(5) 君はあまり速く走れないね。
(6) 山本夫妻は教会に行きません。
(7) 子供 (children) はうそをつか (うそをつく＝ lie) ない。

Lesson 69

　行動を表す言葉が「彼」「彼女」「それ」または同じような主語、つまり、第三者で単数のときは、普通の文のときでも He likes coffee. のように like に「s」が付きました (*Lesson* 41 参照)。これを否定の形にして表すときには、He do not like coffee. ではなく、He does not like coffee. のように「es」を do の方に付けます。なおこの文の会話体は He doesn't like coffee. です。

[例題]
　　Mr. Smith does not like me.
　　　　(スミスさんは私を好きじゃありません)
　　Mrs. Smith does not live here.
　　　　(スミスさんの奥さんはここに住んでいません)
　　This fish does not smell fresh.
　　　　(この魚は新鮮な匂いがしません)
　　It does not <u>matter</u>. (問題、事柄)
　　　　(どうでもいいです)
　　This dog does not eat much.
　　　　(この犬はあまり食べません)

[練習問題]
(1) 私の犬は男の人 (複数) が好きじゃありません。
(2) 私の妹はあまりたくさん食べません。
(3) 中野さんはお金を無駄遣い (waste) しません。
(4) 高橋さんはたばこを吸い (smoke) ません。
(5) この扉は開き (開く＝ open) ません。
(6) この金庫 (safe) はかぎが掛か (lock) りません。
(7) このペンはよく (well) 書けません。

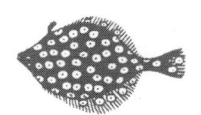

英語の省略と短縮について

　ここで、会話体の英語（口語英語）について述べおく必要があります。近年、特にアメリカやオーストラリアでは、日常会話で言葉を省略または短縮する傾向が顕著です。書く英語でもその影響を受けていることは否めません。

　また、人の言ったことを引用する文を書いたり（**76.** 直接話法と間接話法、*Lesson* 167, 168 — 220, 222 頁参照）、ダイアローグ（対話）を書く（総合練習「姉妹の会話」255 頁参照）場合には、多かれ少なかれ、言葉の一部が短縮された会話体を取り入れることになります。そこでここに、基本的あるいは一般に使われているものを紹介しておきますので、短縮のルールを覚えてください。この本でも、練習問題で会話体にするものは、そのように指示してあります。

A. I am	→	I'm	**B.** I was		（通常短縮しない）
you are	→	you're	you were		〃
we are	→	we're	we were		〃
he is	→	he's	he was		〃
she is	→	she's	she was		〃
it is	→	it's	it was		〃
they are	→	they're	they were		〃
C. I have	→	I've	**D.** I had	→	I'd
you have	→	you've	you had	→	you'd
we have	→	we've	we had	→	we'd
he has	→	he's	he had	→	he'd
she has	→	she's	she had	→	she'd
it has	→	it's	it had	→	it'd
they have	→	they've	they had	→	they'd
E. I will	→	I'll	**F.** I would	→	I'd
you will	→	you'll	you would	→	you'd
we will	→	we'll	we would	→	we'd
he will	→	he'll	he would	→	he'd
she will	→	she'll	she would	→	she'd
it will	→	it'll	it would	→	it'd
they will	→	they'll	they would	→	they'd

G.
who is	→	who's
what is	→	what's
when is	→	when's
where is	→	where's
why is	→	why's
how is	→	how's

H.
who are	→	who're
what are	→	what're
when are	→	when're
where are	→	where're
why are	→	why're
how are	→	how're

I.
who will	→	who'll
what will	→	what'll
when will	→	when'll
where will	→	where'll
why will	→	why'll
how will	→	how'll

J.
who would	→	who'd
what would	→	what'd
when would	→	when'd
where would	→	where'd
why would	→	why'd
how would	→	how'd

K.
who have	→	who've
what have	→	what've
when have	→	when've
where have	→	where've
why have	→	why've
how have	→	how've

L.
who has	→	who's
what has	→	what's
when has	→	when's
where has	→	where's
why has	→	why's
how has	→	how's

M.
that is	→	that's
these are	→	these're
those are	→	those're
here is	→	here's
here are	→	here're
there is	→	there's
there are	→	there're
must have	→	must've
should have	→	should've
could have	→	could've
would have	→	would've

N.
am not		（短縮しない）
are not	→	aren't
is not	→	isn't
was not	→	wasn't
were not	→	weren't
do not	→	don't
does not	→	doesn't
did not	→	didn't
have not	→	haven't
had not	→	hadn't
can not = cannot	→	can't
could not	→	couldn't
must not	→	mustn't
should not	→	shouldn't
will not	→	won't
would not	→	wouldn't

書く英語・基礎編

(8) このパンはおいし（おいしい ＝ taste good）くない。
(9) 私の父はゴルフ（golf）をし（する＝遊ぶ＝ play）ません。

Lesson 70

今度は否定形の疑問文、すなわち質問の文を書いてみましょう。まず次の文を見てください。

 a. 普通の否定文 → You are not a police officer.
      （あなたは警察官ではありません）
 b. 否定形の疑問文 → Are you not a police officer?
      （あなたは警察官ではありませんか）
  会話体   → Aren't you a police officer?

注　「お巡りさん」と呼びかけるときは"Officer."と言います。

[例題]
 a. I am not your sister.
 b. Am I not your sister?
  Aren't I your sister?（会話体 ― 慣用的に amn't と言わない）
  （私はあなたとは姉妹ではないんですか）
 a. You are not Ms. Pratt.
 b. Are you not Ms. Pratt?
  Aren't you Ms. Pratt?（会話体 ― 以下同じ）
  （あなたはプラットさんではないのですか）
 a. He is not your <u>cousin</u>.（いとこ）
 b. Is he not your cousin?
  Isn't he your cousin?
  （彼はあなたの従兄弟ではないのですか）
 a. They are not your students.
 b. Are they not your students?
  Aren't they your students?
  （彼ら〈彼女たち〉はあなたの生徒じゃないんですか）

　こうして例題を挙げていくと、否定形の質問の文は、むしろ肯定の返事を促すものだということがわかります。次の問題は「注」の指示に従ってやってください。

第1部 単文

[練習問題]
(1) これはあなたの財布ではありませんか。
(2) ここは（これは）目黒ではないのですか。
(3) あなたは今井さんの奥さんでいらっしゃいませんか。
(4) あの方は山内さん(Mr.)の娘さんではありませんか。
(5) 日光ってすばらしい(wonderful)じゃありませんか。
(6) あなたたちお腹がすいていないの。
(7) あの人たち身勝手(selfish)じゃない。
(8) 日本ってとても美しいではありませんか。

注　上の問題を「書く英語」として綴るとぎこちない感じを与えるでしょうから、まず文語体にして、それから会話体（口語体）に直してください。解答の部には会話体を載せておきました。なお会話体で書けば次のようになります。(1) Isn't this your purse? (2) Isn't this Meguro?

Lesson 71

行動に関する否定形の疑問文は次のようにして作ります。

 a. 否定形の普通文　　　　　　→ You do not know me.
 b. 否定形の疑問文　　　　　　→ Do you not know me?
 c. 第三者（単数）の場合（普通文）→ He does not know me.
 d. 　　〃　　　　（疑問文）→ Does he not know me?

[例題]
 a. I do not like it.
 b. Do I not like it?
  Don't I like it?（会話体 ─ 以下同じ）
   （私がそれを好きじゃないのかって）
 a. You do not know the news.
 b. Do you not know the news?
  Don't you know the news?
   （君はそのニュースを知らないの）
 c. Mr. Ito does not live here.
 d. Does Mr. Ito not live here?
  Doesn't Mr. Ito live here?
   （伊藤さんはここに住んでいないのですか）

c. She does not feel well.
　　d. Does she not feel well?
　　　Doesn't she feel well?
　　　　（彼女は気分がすぐれないのですか）
　　c. This car does not run very fast.
　　d. Does this car not run very fast?
　　　Doesn't this car run very fast?
　　　　（この車は速く走らないのですか）
　　a. Our students do not study hard.
　　b. Do our students not study hard?
　　　Don't our students study hard?
　　　　（うちの学生は一生懸命勉強しませんか）

[練習問題]
　(1) 私はあの人を知りません。
　　　私があの人を知らないのかって。（会話体で ― 以下同じ）
　(2) あなたはたばこを吸いません。
　　　あなたはたばこを吸わないのですか。
　(3) あなたのお母様は気分がよくありません。
　　　あなたのお母様は気分がよくないのですか。
　(4) あなたの犬はほえ（ほえる＝bark）ません。
　　　あなたの犬はほえないんですか。
　(5) アメリカ人はつばを吐き（spit）ません。
　　　アメリカ人はつばを吐かないのですか。
　(6) 日本人はうそをつきません。
　　　日本人はうそをつかないんだって。
　(7) あなたは私を愛していない。
　　　あなたは私を愛していないのね。

35. yes, no は「はい」「いいえ」と同じではない

Lesson 72

　ここでどうしても知っておかなければならないことは、英語の yes

と no の使い方です。会話ではもちろんのことですが、書く英語にも極めて大切なことであり、この正しい使い方を知っているかいないかが、あなたの英語の力を評価する一つの大きなかぎとなる、と言っても過言ではないでしょう。手紙や作文を書くときにも大切ですが、旅券の査証（ビザ）を受ける場合とか、外国に入国するときとか、就職試験の質問に答えるときとか、答え方によっては、審査をパスするかしないかを決定することにもなりますから、これだけはぜひ徹底的にマスターしておきたいものです。

　yes と no について知っておかなければならないことの第一は、yes と no は必ずしも日本語の「はい」と「いいえ」に当てはまらないだけではなく、全く反対の意味になる場合もあります。ですから、yes ＝「はい」、no ＝「いいえ」というように丸覚えしても通用しないのだ、と始めから否定してかかることです。

　では会話での Yes. と No. とは何か、ということです。端的に説明すると、相手の質問が肯定であろうと否定であろうと、自分の返事が肯定なら Yes. と言って返答し、自分の返事が否定なら、No. で返事をする、というのが不動の規則です。例題を見ながら学びましょう。

[例題]
　　Mr. Smith:　Are you Mr. Saito?
　　Mr. Saito:　Yes, I am（Mr. Saito）.
　　Mr. Smith:　Are you Mr. Goto?
　　Mr. Saito:　No, I am not（Mr. Goto）. I am Mr. Saito.
　　　　　　　または No, I'm not. I'm Mr. Saito.
　　Mr. Smith:　Are you not Mr. Saito?
　　　　　　　または Aren't you Mr. Saito?
　　Mr. Saito:　Yes, I am（Mr. Saito）.
　　Mr. Smith:　Are you not Mr. Goto?
　　　　　　　または Aren't you Mr. Goto?
　　Mr. Saito:　No, I am not（Mr. Goto）. I am Mr. Saito.
　　　　　　　または No, I'm not. I'm Mr. Saito.

　なお、例題の "Yes, I am Mr. Saito." は、かっこ内を省略して "Yes, I am."、"No, I am not Mr. Goto." は "No, I am not." とすることができます。

上の例題で明らかなように、Mr. Smith がどんな尋ね方をしても、Mr. Saito は「自分は斎藤である」と言い張っています。そして何と尋ねられても、答えが「私は斎藤です」と言う場合には、必ず Yes,...で始めています。そして「自分は後藤さんではない」と言うときには、必ず No,...で返事を切り出しています。

　注　自分のことを Mr. Saito と言うのは、日本語の考え方ではちょっとおかしく感じますが、英語ではおかしくありません。また「私は斎藤の妻です」と言うときにも、英語では "I am Mrs. Saito." と言うのが普通で、日本語を直訳して "I am Saito's wife." と言うと、むしろおかしく聞こえます。

［例題］
　　問：Is Tokyo a large city?
　　答：Yes, Tokyo is a large city.
　　問：Isn't Yokohama a port city?（港町）
　　答：Yes, it is a port city.
　　問：Is Canada not in South America?（南米）
　　　　または Isn't Canada in South America?
　　答：No, Canada is not in South America.

　次の質問の答えを書いてください。練習のためですから、答えの文を略さずに全部書いてみてください。

［練習問題］
　　(1) Is New York in America?
　　(2) Is Paris not in France? (Isn't Paris in France?)
　　(3) Are you not Japanese? (Aren't you Japanese?)
　　(4) Is ice cold?
　　(5) Is ice cream not sweet? (Isn't ice cream sweet?)
　　(6) Is Osaka a large city?

Lesson 73

　次の問いに対する返事も同じ理屈で答えます。
　　問：Do you know him?

第 1 部　単　文

答：Yes, I know him.
問：Do you not know him? (Don't you know him?)
答：No, I do not know him. (No, I don't know him.)
問：Does she like cats?
答：Yes, she likes cats.
問：Does she not like cats? (Doesn't she like cats?)
答：No, she does not like cats. (No, she doesn't like cats.)

[例題]

Do you like coffee?	Yes, I like coffee.
	No, I do not like coffee.
Do you live in Kyoto?	Yes, I live in Kyoto.
	No, I do not live in Kyoto.
Do they always argue?	Yes, they always argue.
（いつも議論ばかりしているのですか）	
	No, they do not always argue.

答えをもう少し簡単に会話的にすることができます。

Do you like coffee?	Yes, I do.
	No, I don't.
Don't you like coffee?	Yes, I do.
	No, I don't.

ここの練習問題も会話体で、ただし略さないで書いてください。

[練習問題]
(1) あなたは山 (mountain) が好きですか。
　　ええ、大好きです。
(2) あなたは映画を見ます (go to the movies) か。
　　ええ、よく (very often) 見ます。
(3) あなたの学校の生徒は英語が好きですか。
　　ええ、とても好きです。
(4) あなたのお父さんは先生ではないのですか。
　　ええ、違います。
(5) あなたの妹さんはここで働いていないのですか。
　　いいえ、働いています。

(6) 北海道では雪がたくさん (much, a lot) 降るのではありませんか。
はい、たくさん降ります。
(7) この列車は沼津で (at) 止まります (stop) か。
いいえ、止まりません。
(8) このバスは駅へ行きませんか。
はい、行きません。

Lesson 74.

　have を使った場合、否定の文と質問の文はどうするのでしょうか。例えば、I have a nice dog. は、「私はいい犬を飼っています」ですが、「私はいい犬を飼っていません」とか、「あなたはいい犬を飼っていますか」という文の書き方です。これには次の **a., b.** 二通りの書き方があります。

　　a. I do not have a nice dog.
　　　　Do you not have a nice dog?
　　b. I have not a nice dog.
　　　　Have you not a nice dog?

　do not で have を否定するのはアメリカ式で、have の次に not だけを加えて否定するのはイギリス式です。従って、質問も、do で始めるのがアメリカ式で、have で始めるのがイギリス式です。

　上の文をそれぞれ会話式に書くと、次のようになります。

〈普通文〉		〈会話文〉
I have a nice dog.		（左に同じ）
I have not a nice dog.	（英）	I haven't a nice dog.
I do not have a nice dog.	（米）	I don't have a nice dog.
Have you a nice dog?	（英）	（左に同じ）
Do you have a nice dog?	（米）	（左に同じ）
Have you not a nice dog?	（英）	Haven't you a nice dog?
Do you not have a nice dog?	（米）	Don't you have a nice dog?

　注　アメリカ人は、I have a nice dog. をさらに I've got a nice dog. と言います。

第1部　単　文

　読者は少しややこしく感じるかもしれませんが、この本は英・米語の比較研究のためのものではありませんから、日本で多く使われているアメリカ式の方を採用します。ただし、大切だと思われる場合には、イギリス式の書き方にも注意を払うつもりです。

［例題］
　　I do not have an umbrella.　　（傘を持っていません）
　　I do not have a watch.　　　　（時計を持っていません）
　　Do you have a cell phone?　　（携帯電話をお持ちですか）

　注　携帯電話は、アメリカでは cell phone または cellular phone と言いますが、イギリスでは mobile phone と言います。

　　Do you have a wife?　　　　　（奥さんはいらっしゃいますか）
　　Don't you have a car?　　　　（君は車を持っていないのかい）
　　Do we have a holiday this month?
　　　（今月は休日があるかしら）
　　Do your students have an excursion every year?
　　　（君の学校の生徒は毎年遠足に行くのですか）
　　Do I have a conscience?　　　（私に良心があるかって）
　　Don't I have a nice son?　　　（私の息子はいい子でしょう）

［練習問題］
　（1）うちには黒い猫はいません。
　（2）僕はファックス（**fax machine**）を持っていません。

　注　fax は facsimile（複写）の略語です。

　（3）君はライターを持っていないの。
　（4）あなた、ひま（**time**）がないの。
　（5）アメリカには地震（**earthquake**）がありますか。（「あなた方はアメリカに地震を持っているか」と書きます）
　（6）君の町には図書館があるかい。
　（7）彼は自転車を持っていますか。
　（8）今月は祭日が二日あるんじゃない。
　（9）あなたにはお父さんとお母さんがいますか。
　（10）あんた、1,000円持ってない。

36. any と some の使い方

Lesson 75

　疑問文を書くときに、ぜひ知っておかなければならない単語が一つあります。それは any という単語で、無理に日本語に訳せば「いくつか」「いくらか」という意味になりますが、次のように使います。

　　Do you have any brothers?　　　（兄弟がいますか）
　　Is there any water in the jug?　　（水差しに水が入っていますか）
　　Do you have any money?　　　　（お金を持っていますか）
　　Are there any books on history?　（歴史の本がありますか）

　この例でわかるように、一つ二つと数えられるものは、any と複数の語が一緒になり、water, money のような単語は、any が単数の語と一緒に使われています。つまり、どちらにも使える便利な単語と言えます。

［練習問題］
　(1) この金庫の中には現金が入っているのですか。
　(2) たばこがあるかしら。
　(3) 切手はありますか。
　(4) 接着剤 (glue) はありますか。
　(5) 空席 (vacant seat) はありますか。
　(6) 君の家の近く (neighborhood) に貸家 (house for rent) はないだろうか。
　(7) いい掃除機 (vacuum cleaner) はここに無いのですか。
　(8) 引き出し (drawer) に赤のマジックペン (felt-tip pen) があるかしら。
　(9) あなたには友だちがいるのですか。

Lesson 76

　any を使って質問されたときは、次のように答えます。
　　問：Do you have any <u>homework</u>?（宿題）
　　答：Yes, I have some homework.

答：No, I have not (haven't) any homework.
答：No, I do not have (don't have) any homework.
答：No, I have no homework.

　yes の答えのときは some を、no で始まる場合は any で答えます。また、no で始まる三通りの返事の仕方に注目してください。some は数と量のいずれも表すことができます。I have homework. だけでは any homework の返事としては不十分ですから、any と聞かれたら、必ず数か量を返事の中に入れるものだと思ってください。

　さて、no の後の書き方の中では、私は I have no homework. を勧めます。これがアメリカ式でもあり、明瞭だからです。もう少し例題を見てください。

[例題]
　Is there any ice cream on the table?
　　Yes, there is some ice cream on the table.
　　No, there is no ice cream on the table.
　Do you have any brothers?
　　Yes, I have two brothers.
　　No, I have no brothers.

　注　否定のときに、no brothers と複数になることに注意してください。兄弟がいないのだから単数にしてもよさそうに思いますが、これが英語の特徴です。any brothers? という質問に合わせているわけです。

　Are there any dishes in the sink?
　　（流しに食器がありますか）
　Yes, there are some dishes in the sink.
　　（はい、流しにいくらかあります）
　No, there are no dishes in the sink.
　　（いいえ、流しに食器はありません）

　前にもちょっと触れましたが、もう一度念のためにお断わりしておかなければならないことがあります。英語では返事をするときに、いちいち Yes, there are several dishes in the sink. と全部書かなくてもよいのです。ですから、先の例題を略した形で答えると、次のようになります。

Do you have any homework?
  Yes, I do.
  No, I don't.
Is there any ice cream on the table?
  Yes, there is.
  No, there isn't.
Do you have any brothers?
  Yes, I have two. (Yes, I do. でもいいです)
  No, I have none.

注　none は「何も無い」という意味です。

37. 数と量の書き方と尋ね方

Lesson 77

まず数の書き方です。*Lesson* 31 の続きと考えてください。
　　There is a car over there.　　（あそこに車が1台あります）
　　There are two cars over there.　　（あそこに車が2台あります）
　　There are three cars over there.（あそこに車が3台あります）
以後これにならってください。アラビア数字 (1, 2, 3) は、普通使わない方がよいということは前述した通りです。以下はその一部の例です。

[例題]
　11 = eleven　12 = twelve　13 = thirteen　14 = fourteen
　15 = fifteen　16 = sixteen　17 = seventeen　8 = eighteen
　19 = nineteen
　20 = twenty　21 = twenty-one　22 = twenty-two
　23 = twenty-three　24 = twenty-four　25 = twenty-five
　26 = twenty-six　27 = twenty-seven　28 = twenty-eight
　29 = twenty-nine
　30 = thirty　40 = forty　50 = fifty　60 = sixty　70 = seventy
　80 = eighty　90 = ninety
　100 = one hundred または a hundred

第1部　単　文

次に、けたの大きな数字の書き方を示しておきます。

[例題]

101	=	one hundred and one
102	=	one hundred and two
110	=	one hundred and ten
112	=	one hundred and twelve
122	=	one hundred and twenty-two
200	=	two hundred
999	=	nine hundred and ninety-nine

（ここまでは口語では and を入れて言いません）

1,000	=	one thousand または a thousand
1,001	=	one thousand and one
1,011	=	one thousand and eleven
1,100	=	one thousand one hundred
		または eleven hundred
1,101	=	one thousand one hundred and one
		または eleven hundred and one
1,111	=	one thousand one hundred and eleven
1,200	=	one thousand two hundred
		または twelve hundred
9,999	=	nine thousand nine hundred and ninety-nine

（ここまでは口語では and を言っても言わなくてもいいです）

10,000	=	ten thousand （「万」という単語はありません）
11,000	=	eleven thousand
16,010	=	sixteen thousand and ten
99,999	=	ninety-nine thousand nine hundred and ninety nine
100,000	=	one hundred thousand
1,000,000	=	one million または a million
1,000,001	=	one million and one
1,001,001	=	one million one thousand and one
10,010,010	=	ten million ten thousand and ten
100,100,100	=	one hundred million one hundred thousand and one hundred
1,000,000,000	=	one billion または a billion

注1　9,999 は ninety-nine hundred and ninety-nine とも書けますが、**数字は、**けたが大きくなってきたら、千単位のところで区切りをつけるようにします。

注2 100,100,100 は、これも長くなるので、書くときには百万の所で comma を打ってください。

注3 billion は、アメリカでは 10 億のことですが、以前イギリスではその千倍、すなわち兆でした。この辺りは同じ英語を使う国ですから、今はアメリカ式になりました。しかし、こういう大きな数になったときには、文字で書かずに、アラビア数字で書くことをお勧めします。また one trillion は、アメリカでは 1,000,000,000,000、イギリスでは過去には 1,000,000,000,000,000,000 でした。

西暦の書き方は、例えば、1998 年は nineteen ninety-eight ですが、普通の文章には 1998 と書いて差支えなく、公けの文書やしゃれた招待状などのときにだけ、文字で書くことになっています。ほかに数を表す言葉として、次のものがあります。

　　a couple ＝ two
　　a few ＝ two または three（物によってはそれ以上の場合もあ
　　　　　　　　　　　　　　　ります）
　　few ＝非常に少ない数で、ほとんど無いとき。a few と比較。
　　several ＝ two, three または four
　　many ＝多くの
　　quite a few ＝ many（かなり多くの）
　　score ＝ 20
　　numerous ＝ very many（多数）
　　a number of ＝ several, many
　　a lot (of) ＝（数・量が多いことで、通常肯定文に使われます）
　　lots of ＝（a lot と同じですが、会話に使われます）
　　uncountable ＝ too many（数え切れないほどの）
　　innumerable ＝数えきれないほどの

［例題］
　　Give me a couple of eggs.　　（卵を二つ下さい）
　　Give me a few oranges.　　　（オレンジを二つ三つ下さい）
　　Give me several pencils.　　　（鉛筆を数本下さい）
　　Japan has many volcanoes.　（日本には火山がたくさんあります）
　　Four score and seven years　（87 年）
　　We have numerous designs.　（デザインはいくらでもあります）
　　He has a number of jobs.　　（彼は仕事をいくつも持っています）
　　She has a lot of friends.　　　（彼女にはたくさん友人がいます）

He has lots of visitors every day.
　　（彼には毎日たくさんの訪問者があります）
Uncountable ants live here.
　　（ここには無数のアリが住んで〈生息して〉います）
The Philippines has innumerable islands.
　　（フィリピンには無数の島があります）
There are few beggars in our city.
　　（われわれの市には、こじきはほとんどいません）
We have quite a few parks in Tokyo.
　　（東京には公園がかなりあります）

[練習問題]
(1) スプーン（spoon）を一つ下さい。
(2) フロッピー（floppy disk）を10枚下さい。
(3) 私にはいとこが12人います。
(4) われわれのクラスには生徒が50人います。
(5) 1年は365日です。
(6) この本は2,500円です。
(7) 私の給料（salary）は235,600円です。
(8) 以前（once）1ドルは360円でした。
(9) この市の人口（population）は130万人です。（「この市には130万人の人がいる」と書きます）
(10) 君はいい本をかなりたくさん持っているね。
(11) この提案に賛成（support）の人は大勢います。
(12) 宇宙には（in the universe）数えきれないほどの星がある。

Lesson 78

次は量の書き方です。
　　　a little (of) ＝少しの
　　　little ＝ほんの少しの（ほとんどない場合）
　　　much ＝たくさんの
　　　a lot of ＝ much
　　　a small amount of ＝少しの
　　　a large amount of ＝たくさんの

量は容器で数えればわかりやすいです。
  a cup of coffee ＝ 1 杯のコーヒー
  a bottle of beer ＝ビール 1 瓶
  a glass of milk ＝コップ 1 杯の牛乳
  a (one) spoonful of sugar ＝スプーン 1 杯の砂糖
量目で表すこともできます。
  a pound of flour ＝小麦粉 1 ポンド
  a quart of water ＝水 1 クォート (a quart は 1 ガロンの 4 分の 1)
  200 grams of beef ＝牛肉 200 グラム
  two tons of steel ＝鉄 2 トン
  four gallons of gasoline ＝ガソリン 4 ガロン

 注 このように量目で表す場合、たとえそれが複数になっていても、独立したものなら単数と考えて扱ってください。

[例題]
 Two hundred grams of pork is not much.
  (豚肉 200 グラムはたいした量じゃないです)
容器で量る場合には、単数のときもあれば複数のときもあります。
 There are two bottles of beer on the table.
  (テーブルの上にビール〈の入った〉瓶が 2 本あります)
 Two bottles of beer is too much for him.
  (彼にはビール 2 本は量が多過ぎます)
上の例は瓶の数のことを言い、下の例は量のことを言っていることは明らかです。抽象的なことも「量」として扱います。
 You have little patience. (君は辛抱がない)
 A little knowledge is dangerous. (小知は危険なり)
 That is too much money.
  (お金が多過ぎます＝高過ぎます)
 A lot of practice is necessary.
  (たくさん練習することが必要です)

[練習問題]
 (1) バター (butter) を 1 ポンド下さい。
 (2) お金はあまり要りません。(I で始めます)
 (3) お茶を (1 杯) 召し上がってください。

第 1 部　単　文

(4) セメント (cement) が大量に必要です。
(5) 大瓶の牛乳を 6 本置いていって (leave me) ください。
(6) 塩 (salt) をほんの少し (a dash of) 加えて (add) ください。
(7) この車には 10 ガロンのガソリンが入っています。(入る＝持っている)
(8) 私の伯父は毎晩 (every evening) 酒 (sake) を 1 升 (one sho) 飲みます。

注　1 升は、大体 one point eight liters (1.8 リットル) または half a gallon とでもすれ ばよいと思います。なお、度量衡の詳細は、英和辞典や和英辞典の末尾などに表示してありますから、参考にしてください。

Lesson 79

今度は数の尋ね方です。これは非常に簡単です。How many...? の形しかありません。まず「〜を何人」とか「〜を何個」を聞き、それから「持っているか」とか「あるか」を尋ねます。

[例題]
　How many sisters do you have?
　　(あなたに姉妹は何人いますか)
　How many sweaters do we have?
　　(私たちにセーターは何枚ありますか)
　How many players do they have?
　　(相手の選手は何人いますか)
　How many trees are there?　(木は何本ありますか)
　How many books are there in the library?
　　(その図書館には本が何冊ありますか)
　How many chairs are there in the room?
　　(部屋には椅子が何脚あるんですか)
　How many people live here?　(ここには何人住んでいますか)
　How many apples drop daily?
　　(毎日落ちるリンゴは何個ですか)
　How many ships come into the port everyday?
　　(毎日入港してくる船は何隻ですか)

How many students apply every year?
　（応募する学生は毎年何名いますか）

［練習問題］
　（1）口紅（lipstick）を何本持っていますか。
　（2）この部屋には机が幾つありますか。
　（3）テーブルの上に皿（plate）が何枚ありますか。
　（4）兵隊（soldier）さんはここに何人寝泊り（live）していますか。
　（5）毎日船は何隻出航（sail out, go out）しますか。

Lesson 80

次は量を尋ねる方法です。これも簡単で、How much...? で全部ことが足ります。時間の長さも尋ねれます。

　　How much time do you have?
　　　（どのくらい時間がありますか）
　　How much water is there in the bathtub?
　　　（浴槽には水がどのくらい入っていますか）
　　How much do you owe him?
　　　（君は彼にいくら借りているのだい）

注　How much <u>money</u> do you owe him? と言わなくてもわかります。

量を容器の数で尋ねる方法です（*Lesson* 78 参照）。
　　How many cups of sugar do you want?
　　　（カップ何杯の砂糖が要りますか）
重さや量を数字で尋ねる方法です（*Lesson* 78 参照）。
　　How many grams of ground beef do you want?
　　　（牛のひき肉を何グラム要りますか）
　　How many liters of gasoline do you want?
　　　（ガソリンを何リットル入れますか）

Lesson 81

以下は距離や長さを尋ねる方法です。
　　a. How many meters are there from here to your house?

b. How many meters is it from here to your house?

　これはどちらも「ここからあなたの家まで何メートルありますか」と尋ねている文です。距離を聞くのに、**a.** と **b.** どちらの文を使ってもかまわないのですが、強いてその相異を突き詰めるなら、**a.** はメートル数を尋ねているのに対し、**b.** は距離を尋ねているのです。

　メートル数を問いただしているのではないが、漠然と How far is it from here to your house? と、距離を尋ねることもできます。

　注　メートルは metre（イギリス式）とも書きます。

38. 時間と時刻と日付の表し方

Lesson 82

　まず時間の表し方から始めましょう。

1 時間＝	one hour, an hour
2 時間＝	two hours
10 時間＝	ten hours
24 時間＝	twenty-four hours
1 分＝	one minute, a minute
2 分＝	two minutes
10 分＝	ten minutes
15 分＝	fifteen minutes, a quarter（4 分の 1）of an hour
30 分＝	thirty minutes
	a half（2 分の 1 または半分）an hour
35 分＝	thirty-five minutes
1 秒＝	one second
2 秒＝	two seconds
15 秒＝	fifteen seconds
30 秒＝	thirty seconds, half a minute
1 時間 25 分 33 秒＝	one hour twenty-five minutes and thirty-three seconds

---

　注　hour のスペルは子音で始まっていますが、この h は無声音ですから、発音するときは a (h) our と言わず an (h) our と言います（*Lesson* 26 参照）。

[練習問題]
(1) 18 秒
(2) 3 分 25 秒
(3) 5 時間 10 秒
(4) 10 時間 30 分 22 秒

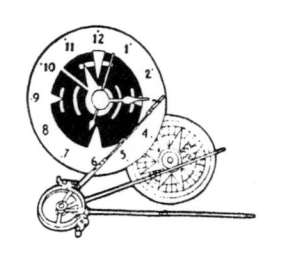

Lesson 83

時刻と時間帯の表し方は、それぞれ次のように書きます。

1 時	one o'clock
2 時	two o'clock
3 時	three o'clock
正午	noon, twelve o'clock
真夜中の 12 時	midnight, twelve o'clock midnight
朝	morning
午前	morning
昼	day, afternoon
午後	afternoon
夕方、晩	evening
夜	evening, night
午前 10 時	ten o'clock in the morning
午後 3 時	three o'clock in the afternoon
夕方(晩)の 6 時	six o'clock in the evening
夜の 10 時	ten o'clock at night

注1 午前を a.m. または A.M. と書くことがあります。ラテン語の ante meridiem (before noon) の略です。同様に p.m. とか P.M. は post meridiem (after noon) を略したものです。日本語では「午前 10 時」のように「午前」が先にくるので、a.m. 10 と書きたくなりますが、これは間違いで 10 a.m. と書きます。また、10 A.M.と大文字で書いたものもときどき見受けますが、普通は a.m. と小文字で書きます。イギリス式も小文字です。ただ、印刷物などでは A.M., P.M. と大文字になっていることがあります。しかし、新聞などでは、A.M., P.M. のように small cap という小文字の高さの大文字を使うのが正しいともされています。

注2 a.m. p.m. を a.m. in the morning とか p.m. in the afternoon のように使いません。同様に、o'clock を eleven o'clock a.m. とか four o'clock p.m. のようにも書きませんので注意してください。

次に「何時何分過ぎ」とか「何時何分前」の書き方について学びましょう。普通は次のように書きます。

  ten minutes past two   （2時10分過ぎ）
  twenty minutes past three   （3時20分過ぎ）

このように書く場合には、o'clock を入れないのが普通です。また、話すときにも o'clock を略すのが習慣です。

  four minutes past five   （5時4分過ぎ）
  twenty-five minutes past eleven （11時25分過ぎ）

「15分過ぎ」は、a quarter past と書きます。

  a quarter past ten   （10時15分過ぎ）

「半」は、half です。従って次のように表します。

  half past nine   （9時半）

「半」を過ぎた場合には、「前」(to, till, before) を使います。

  ten minutes till eight   （8時10分前）
  a quarter to three   （3時15分前）

なお、「前」を古い形ですが、of と書く人もいます。今は前述の to, till, before を使います。

  three minutes to (of) seven   （7時3分前）
  ten minutes before (of) six   （6時10分前）

このごろでは、時と分を省略してしまいます。

  ten past two   （2時10分過ぎ）
  five to ten   （10時5分前）

時間だけを簡単に略してしまうと、次のようになります。

  five eleven   （5時11分）
  ten forty-five   （10時45分）

こういう表現の仕方をするときは、a quarter とか a half とかいう言葉を使いません。先に時間 (hour) を、後に分 (minutes) を言います。これを数字で書くと、次のように表すことになります。

  10:15（10時15分）   11:35（11時35分）
  1:05 a.m.（午前1時5分）） 3:45 p.m.（午後3時45分）

 注 イギリス式は、例えば10時30分を、10.30のように、colon ではなく period を使います。

書く英語・基礎編

では、好きな方法で次の時刻を書いてください。

[練習問題]
(1) 3時16分過ぎ
(2) 午前6時15分
(3) 午後4時半
(4) 10時22分前
(5) 11時11分前
(6) 夜の10時15分
(7) 朝の10時半

Lesson 84

「何時何分に」の「に」は、いつも at を使います。

[例題]
at ten o'clock in the morning	(午前10時に)
at two minutes past noon	(正午過ぎ2分に)
at a quarter past three	(3時15分に)
at half past six	(6時半に)
at twenty minutes to seven	(7時20分前に)

文中にこの言い方を使ってみます。

The milk man comes at seven o'clock in the morning.
　　(牛乳配達は朝の7時に来ます)
We eat breakfast at seven-thirty.
　　(われわれは7時半に朝食を取ります)
School begins at half past eight.
　　(学校は8時半に始まります)

[練習問題]
(1) 学校は午後3時40分に終わり (end) ます。
(2) 新聞配達 (paper boy) は夕方の6時に来ます。
(3) 父は夕方の7時15分に帰宅 (return home) します。
(4) われわれは7時半には夕食 (supper) を取ります。
(5) 夜10時にはみんな寝ます (we all go to bed)。

Lesson 85

「秒」は second で、「分」minute と全く同じに扱ってかまいませんが、a quarter とか a half という語は、「秒」に関してはほとんど使いません。

[例題]
 1分30秒（時間）＝ one minute thirty seconds
 2時22分2秒（時刻）＝ two o'clock twenty-two minutes two
          seconds

Lesson 86

ここからは、日、月、年の書き方に入ります。一日、二日と数える場合、日 (day) は a day または one day, two days, three days と普通の「数えられる物」のように数えます。月 (month) も同じです。a month, one month, two months, three months のようにです。年 (year) も、a year, one year, two years, three years のように書きます。

[例題]
two months and ten days	（2カ月と10日）
three years and three months	（3年と3カ月）
ten years, five months and four days	（10年5カ月と4日）

[練習問題]
 (1) 3ケ月と25日
 (2) 5年と5ケ月
 (3) 20年と6ケ月15日

Lesson 87

日、月、年の書き方を続けます。1は one、第一は first ですが、1日「ついたち」は、the first day か the first と書きます。

以下は1日から30日までの書き方です。

the first, the second, the third, the fourth, the fifth, the sixth,
the seventh, the eighth, the ninth, the tenth（10日）
the eleventh, the twelfth, the thirteenth, the fourteenth,
the fifteenth, the sixteenth, the seventeenth, the eighteenth,
the nineteenth, the twentieth（20日）
the twenty-first, the twenty-second, the twenty-third,
the twenty-fourth, the twenty-fifth, the twenty-sixth,
the twenty-seventh, the twenty-eighth, the twenty-ninth,
the thirtieth（30日）

40日から100日まで、10日ごとに区切った例です。

the fortieth, the fiftieth, the sixtieth, the seventieth,
the eightieth, the ninetieth, the hundredth

この中で、8日＝the eighth、9日＝the ninth、12日＝the twelfth、20日＝the twentieth などは、綴りに注意してください。

以下は略して書いた場合の例です。

1st, 2nd, 3rd, 4th, 5th, 6th, 7th, 8th, 9th, 10th,
11th, 12th, 13th, 14th, 15th, 16th, 17th, 18th, 19th, 20th,
21st, 22nd, 23rd, 24th, 25th, 26th, 27th, 28th, 29th, 30th,
40th, 50th, 60th, 70th, 80th, 90th, 100th

以下は曜日を日曜日から順に書いた例です。

Sunday, Monday, Tuesday, Wednesday, Thursday, Friday, Saturday

必ず大文字で始め、冠詞が付かないのが特徴です。固有名詞と同じ扱いです。しかし、ある特定の日曜日と書くときには the Sunday です。ある月曜日と言うときに a Monday と書くこともありますが、それはまたの機会でします。

月の名称も大文字で始め、冠詞を伴いません。

January	（1月）
February	（2月）
March	（3月）
April	（4月）
May	（5月）
June	（6月）

July	（7月）
August	（8月）
September	（9月）
October	（10月）
November	（11月）
December	（12月）

　月の名称を略すことはあまりお薦めできませんが、略す必要があれば、次のようにしてください。
　　Jan. Feb. Mar. Apr. May（May は略しません）Jun. Jul. Aug. Sept. Oct. Nov. Dec.

　年は西暦（the Christian Era）を使います。キリスト（Christ）が生まれたと信じられている年から数えるわけですが、「西暦 1999 年」は厳密に言えば、in the year of our Lord 1999（わが主の年 1999 年）となります。この書き方は公式な書類には今日でも用いられています。これを略したものが、A.D. 1999 です。A.D. は anno Domini（in the year of our Lord）で、ラテン語です。なお紀元前は B.C.（before Christ）で、紀元前 50 年は 50 B.C. と書きます。通常 A.D. は年数の前、B.C. は年数の後に置きます。西暦で 2000 年になった時には、millennium という言葉が盛んに使われました。1000 年という意味で、2000 年は two millenniums（または millennia）です。

　ところで、年月日の書き方は次の通りです。
　　1 月 3 日 = the third of January または January the third
　　5 月 30 日 = the thirtieth of May または May the thirtieth
　　2001 年 6 月 1 日 = the first of June in the year of our Lord
　　　　　　　　　　two thousand one
　　　　　　　　 = June the first, 2001
　　　　　　　　 = June first, 2001
　　　　　　　　 = June 1st, 2001
　　　　　　　　 = June 1, 2001
　　　　　　　　 = 1 June 2001

　このようにいろいろな書き方があります。作文のときは June first, 2001 のように、手紙の日付には June 1, 2001 がよく使われます。
　それから「何月何日に」の「に」は on で表すのが普通です。

[例題]
4月10日に　　　　　　　on April the tenth
10月2日に　　　　　　　on the second of October
1998年8月4日に　　　　 on August 4, 1998
6月30日に　　　　　　　on June 30th

次に、曜日と年月日を併用した書き方ですが、これは日本語のように3月4日（土）と書くことはめったになく、大抵、土曜日3月4日と、曜日を先に書くのが習慣です。

Saturday, March the fourth または
Saturday, March fourth または
Saturday, March 4th または
Saturday, March 4

[例題]
5月4日（火）　　　　　　Tuesday, May the fourth
8月1日（日）　　　　　　Sunday, August 1st
2000年7月7日（水）　　　Wednesday, July 7th, 2000

注　年の記入された日付には、曜日はあまり必要ではありません。

「何曜日に」の「に」も on を使います。
金曜日に　　　　　　　　on Friday
10月10日火曜日に　　　　on Tuesday, October 10th

次の問題は手紙の日付のつもりで書いてください。

[練習問題]
（1）1997年9月18日
（2）2000年12月2日
（3）2001年4月22日
次は自分の好きな書き方で書いてください。
（4）土曜日に
（5）6月2日（月）に
（6）2001年8月6日に

39. can と cannot の使い方

Lesson 88

少し横道にそれた感がありますが、ここからまた文章の書き方に入りましょう。まず can の使い方からですが、これは「～できる」という意味です。次の例文を見てください。

  I make cakes.　　　　　（私はケーキを作ります）
  → I can make cakes.　　（私はケーキを作れます）

[例題]
  My dog can run very fast.　（私の犬はとても速く走れます）
  My sister can sing well.　　（私の妹は上手に歌をうたえます）
  You can do it.　　　　　　（あなたにはそれができるわよ）
  Can you do it?　　　　　　（あなたはそれができますか）
  Can you swim?　　　　　　（君は泳げますか）

[練習問題]
(1) 君は駅まで歩けるかい。
(2) 山田さん (Mr.) はきょう来れます。
(3) 社長は今あなたにお目にかかれます。
(4) この小さな自動車はとても速く走れます。
(5) あの子はタイプが上手にできます。
(6) 私は英語が書けます。
(7) あなたはフランス語 (French) が話せ (speak) ますか。
(8) 君はそれを英語で (in English) 言え (say) るかい。

Lesson 89

can の否定は can not ですが、これを普通 cannot（または can't）と一語にします。次の例文を見てください。

  I can see you.　　　　　　　　（あなたが見えます）
  → I cannot (can't) see you.　（あなたが見えません）
  They do not live here.
   （彼ら〈彼女たち〉はここに住んでいません）

→ They cannot (can't) live here.
　　（彼ら〈彼女たち〉はここに住むことができません）

[例題]
　You cannot (can't) do that.（そんなことをしてはいけません）
　Mr. Gory cannot (can't) come now.
　　（ゴーリーさんは今来れません）
　I cannot (can't) sit still.
　　（私はじっと座っていられません）

[練習問題]
　(1) 私は今は行けません。
　(2) 社長はただ今お目にかかれません。
　(3) ペンギン（penguin）は飛べない。
　(4) その部屋に入る（enter）ことはできません。(youで始めます)
　(5) 私は目がよく見えません。
　(6) おばあさん（grandmother）はあまりよく歩けません。
　(7) ご親切に（kind）もご招待（invitation）いただきましたが、お受けする（accept）ことはできません。

Lesson 90

　次は「できませんか」と尋ねる場合です。can not は do not と形が同じなので問題はありませんが、cannot は、疑問文にはそのまま使えません。
　まず can not の方から例文を見てください。
　　　Can you come to my house today?
　　　　（きょううちに来れませんか）
　　　→ Can you not come to my house today?
　そこで cannot ですが、これを Cannot you...? のように使うことはできませんが、Can't you...? と言うことはできます。
　　　Can you not show it to me?　　（それ見せていただけませんか）
　　　→ Can't you show it to me?
　ただし、can't は don't のように会話の場合の使い方なので、文章に使うのを嫌う人もいます。

第1部　単　文

［練習問題］
(1) 政男君はきょうは来てくれるのかな。
(2) 太田夫妻は金曜日に箱根へ行けないかしら。
(3) 政府（government）は税金（tax）を引き下げる（cut）ことはできないのでしょうか。

40. why, how を使って尋ねる

Lesson 91

Why...? は、「なぜ～」と尋ねるときに使います。では why で始まる疑問文を見てみましょう。

［例題］
　Why am I so heavy?（そんなに）
　　（私はなぜこんなに体重があるのだろう）
　Why are you so nice to me?
　　（あなたはなぜ私にそんなによくしてくれるの）
　Why is he so stingy?　　　（彼はなぜあんなにけちなんだろう）
　Why are you crying?　　　（あなたはなぜ泣いているのですか）
　Why does Mr. Goodman look happy?
　　（グッドマンさんはなぜあんなに楽しそうなのですか）
　Why can't you tell me?　　（なぜ私には言えないの）
　Why can they not stop it?（Why can't they stop it?）
　　（なぜ彼らはそれを止められないのだろう）

［練習問題］
(1) 僕はどうしてこうお腹がすくのだろう。
(2) あなたはどうしてそんなに強情（stubborn）なの。
(3) この箱はどうしてこんなに重いのだろう。
(4) あなたはなぜ私と一緒に行け（come）ないの。
(5) これはどうしてそんなに値段が高い（cost so much）のですか。
(6) この本はなぜこんなところ（here）にあるのですか。
(7) どうしてあの女店員（salesgirl）はいつも（always）お客

107

（customer）に無愛想（rude）なのかしら。
　（8）なぜあなたは私を信じる（trust, believe）ことができないの。

Lesson 92

　次の How...? は、「～はどうだ」とか「どうしたら～」とか尋ねるときに使われます。では how で始まる疑問文を見てみましょう。

［例題］
　　How are you?　　　　　　（いかがですか）
　　How is your mother?　　　（お母さんはいかがですか）
　　How do you pronounce this word?
　　　（この語〈言葉〉はどう発音するのですか）
　　How can I find it?
　　　（どうしたらそれを見つけられますか）
　　How can I thank you?
　　　（どうお礼を申し上げたらよいのでしょう）
　　How can you say that to me?
　　　（私に対してどうしてあなたはそんなことが言えるのですか）
　　How do you know that?
　　　（どうしてそれがわかるのですか）

［練習問題］
　（1）あなたのお父さんはいかがですか。
　（2）パーティはどうですか。
　（3）これはどんな味（taste）ですか。
　（4）どうしたら僕はそれを買え（buy）るだろう。
　（5）彼はどうしてそんなこと（such a thing）をあなたに言えるのだろう。
　（6）あなたはどうして私の名前をご存じなのですか。
　（7）どうして私があなたを憎め（hate）ましょう。

第1部　単　文

41. 過去のことを書くにはどうするか

Lesson 93

　文章を書くときには、過去のことを述べる場合が非常に多いものです。**a.** と **b.** の文を比較してください。

　　　a. I am here now.　　　　　（今私はここにいます）
　　　b. I was here yesterday.　　（私はきのうここにいました）
　　　a. You are a big man now.　（君は立派な大人になったね）
　　　b. You were such a small boy.
　　　　　（君はあんなに小さかったのに）

つまり、am は was に、are は were になったわけです。is も was に変わります。

　　　a. My father is in Europe now.
　　　　　（父は今ヨーロッパにいます）
　　　b. He was in America on Saturday.
　　　　　（彼は土曜日にはアメリカにいました）

「今から～以前に」と言いたいときには ago を使います。

[例題]
　Your brother was here five minutes ago.
　　（君の弟〈兄〉さんは5分前までここにいたよ）
　There was an accident here a few days ago.
　　（二、三日前ここで事故がありました）
　Was there a telephone call for me a couple of minutes ago?
　　（二、三分前に私に電話がありましたか）

[練習問題]
　(1) 私はきのうそこにいました。
　(2) 10年前にあなたはこんなに小さか (little girl) った。
　(3) 私の伯父は2年前南米 (South America) にいました。
　(4) 君の妹さんは10分前までこの部屋にいましたよ。
　(5) 二、三日前にこの場所でコンサートがありました。
　(6) けさあなたを訪ねて来た人 (visitor) がいました。(「あなたを」は for you とします)

(7) ゆうべ (last night) 僕に小包 (parcel) が来なかったかな。
（「来なかったか」は「あったか」とします）

　注　「来なかったか」は否定の形をした疑問文ですが、英文にするときには、規則通りに否定の形で書く必要はありません。ついでですが、もし否定の形で質問する文章を作るなら、Was there not a special delivery letter for me this morning? （けさ私のところへ速達の手紙が来なかったですか）というように書きます。会話のときには Wasn't there...? とします。Were there...? も同じく Weren't there...? となります。

Lesson 94

was, were の問題をもう少し。そのためには、ここで but の使い方を覚えてください。but は「しかし」というような意味です。but の前に comma が打たれているのに注目してください。

[例題]
　I was angry, but I am not angry now.
　　（私は怒っていたけれども今は怒っていないよ）
　It was cold yesterday, but it is warm today.
　　（きのうは寒かったけれどきょうは暖かい）

　but は過去と現在の状態の対照だけに使うわけではありません。例えば、I am tired, but I am happy.（私は〈体は〉疲れてはいるけれども〈心は〉幸せです）のようにも使います。
　日本文では、「しかし」「けれど」「が」の次によく読点（、）が打たれます。英文では comma がそれに当たります。しかし最近のアメリカでは、but に限らず comma はできるだけ打たない方がよい、とされています。特に短い文では comma を避ける傾向にあります（和文でもそうですが）。次の和文と英文を見てください。
　　　遅かったけれど道は暗くありませんでした。
　　It was late but the road was not dark.
　しかし本書では、書く英語の「基礎編」ということで、but の前に comma を打つ形を採ります。また、comma を入れる入れないは、はっきりした文法的な決まり以外は、現代の英文では、個人の好みあるいはスタイルが反映される、ということを述べておきます。

細かいことになりますが、but という語は、文章の頭に来るのをいやがります。"But, my, it's hot today!"（しかし、何てきょうは暑いんだろう）と言うのは会話のときだけで、文章にはあまり使われません。また、書く英語としてお薦めできません。

［練習問題］
(1) 僕は疲れていたけれど眠くはなかった。
(2) 君は貧乏 (poor) だったけれど金持になったね。
(3) ここに農場がありましたが、今は病院 (hospital) になっています。
(4) ここには川があったが、今は高速道路 (expressway) になっている。
(5) ポール (Paul) は病気 (sick) でしたが、今は元気 (healthy) です。

Lesson 95

過去の行動を表す単語の形にはいろいろあります。過去の行動、例えば「待った」という単語を和英辞典で探すときは、現在形の matsu（待つ）で引くと、wait と出てきます。そして過去＝waited、過去分詞＝waited、と付け加えてあります。「過去」は英語で past ですから、辞書によっては、単に *p.* waited と書いてあるでしょう。過去分詞は past participle と言うので、これは *pp.* と書いてあるかもしれません。過去分詞のことは後で説明します（*Lesson* 124 — 153 頁参照）。

では、既に過ぎたことを文章にして表してみましょう。

  I live here.　　　　　　　（私はここに住んでいます）
  → I lived here last year.　（私は去年ここに住んでいました）
  Wait for me.　　　　　　（待っててね）
  → I waited for you.　　　（あなたを待っていたのよ）

live は lived に、wait は waited になりました。そうすると、過去形を作るには、「d」か「ed」を付ければよいということがわかります。原則としては「ed」を付けるのですが、live は「e」で終わっているので、「e」をダブラせる必要がないのです。「d」または「ed」を付けて変化させるものを規則動詞と言います。

これだけなら話はいたって簡単ですが、英語の行動を表す言葉には、

この規則に従わないものがたくさんあるので、どうしても一つ一つ覚えていかなければなりません。ただ幸いなことに、大体次のグループにまとまっています。これらを不規則動詞と言います。その一部を紹介しましょう。

Aグループ： 現在形も過去形も同じスペリングのもの

set（置く、設置する）→ set
　[用例]
　　Set the table.　（食卓の用意をしなさい）
　　I set the table yesterday.
　　　　　　　　　（僕はきのう〈食卓を〉用意したよ）
put（置く、着る）→ put（「身につける」と言うときは put on）
　[用例]
　　Put these flowers in the vase.
　　　　　　　　　（この花をこの花びんに生けなさい）
　　I put your glasses in the drawer.
　　　　　　　　　（あなたの眼鏡は引出しに入れたわよ）
　　Put this on.　（これを着なさい）
　　I put it on yesterday.（きのう〈それを〉着たじゃない）

以下はそのほかの例です。
　　beat（やっつける）→ beat　　bet（賭ける）→ bet
　　hit（打つ）　　　　→ hit　　 let（させる）→ let
　　quit（やめる）　　 → quit
　　read（読む）　　　 → read（[red]と発音が変わる）

Bグループ： スペリングの一部が変わる

sit（座る）→ sat
　[用例]
　　Sit here quietly.　（ここで静かに座っていなさい）
　　I sat there quietly.　（私はそこに静かに座っていました）
sing（歌う）→ sang
　[用例]
　　Alice sings beautifully.　（アリスはすてきに歌います）
　　Alice sang beautifully.　（アリスはすてきに歌いました）
swim（泳ぐ）→ swam

[用例]
  Can you swim?　　　　　（あなたは泳げるの）
  I swam for two hours.　　（2時間泳ぎましたよ）
そのほかの例。
 ring（鳴る、鳴らす）→ rang　　　spring（はね跳ぶ）→ sprang

Cグループ：　ought などを伴うもの

 think（考える）→ thought
  [用例]
   I think so.　　　　（そう思います）
   I thought so.　　　（そうだろうと思った）
 bring（持ってくる）→ brought
  [用例]
   Bring money.　　　　（お金を持ってきなさい）
   I brought money.　　（お金を持ってきました）
そのほかの例。
 buy（買う）→ bought　　　　　find（見つける）→ found
 seek（探す）→ sought

Dグループ：　字数が減るもの

 meet（会う）→ met
  [用例]
   I meet her often.　　（彼女によく会います）
   I met her once.　　　（彼女に一度会いました）
 lead（誘導する）→ led
  [用例]
   This road leads to Tokyo.（これは東京へ続く道です）
   He led me to the station.
     （彼は私を駅まで連れていってくれました）
 have（持つ）→ had
  [用例]
   I have a good job.　　（私はいい仕事に就いています）
   I had a good job.　　（私はいい仕事に就いていました）
そのほかの例。
 breed（育てる）→ bred　　　　feed（食物を与える）→ fed

Eグループ： 綴りが少し変わる

build（造る、建てる） → built
　［用例］
　　We build bridges.　　（わが社は橋を架けます）
　　We built this building.（わが社はこのビルを建てました）
keep（保つ） → kept
　［用例］
　　Keep this for me.　　（これを取っておいてね）
　　I kept the promise.　（私は約束を守った）
そのほかの例。
　lend（貸す）　→ lent　　　　make（作る） → made
　spend（費す）→ spent

Fグループ： 語尾が ew になる

fly（飛ぶ） → flew
　［用例］
　　Fly to Japan.　　　（日本へ飛行機で来なさい）
　　I flew to Europe.　（私はヨーロッパへ飛んだ）
blow（吹く） → blew
　［用例］
　　Blow out the candles.（ローソクの火を消しなさい）
　　The wind blew from the east.
　　　　　　　　　　　（風は東から吹いてきました）
そのほかの例。
　grow（成長する） → grew　　　throw（投げる） → threw

Gグループ： その他いろいろな不規則動詞と変化

do（する）	→ did	go（行く）	→ went
hear（聞く）	→ heard	kneel（ひざまずく）	→ knelt
know（知る）	→ knew	lay（横にする）	→ laid
lie（横になる）	→ lay	say（言う）	→ said
see（見る）	→ saw	speak（話す）	→ spoke
stand（立つ）	→ stood	steal（盗む）	→ stole
tell（告げる）	→ told	write（書く）	→ wrote

注1 過去形がわからないときは、必ず辞書で調べてください。

第1部　単文

注2　stop というような単語は、過去になると stopped と p が重なります。これは発音の関係です。以下はそのほかの例です。

　　bat（球を打つ）→ batted　　　slap（たたく）→ slapped

注3　それから、大体二音節以上の動詞で、最後の音節にアクセントがあるとき、後の子音字（a, e, i, o, u 以外の字）を重ねる習慣があります。

　　occur（起こる）→ occurred　　　omit（はぶく）→ omitted
　　limit（制限する）→ limited（これは前の音節にアクセントがあるので ed だけが
　　　　　　　　　　　　　　　付きます）

注4　綴りは全く同じでも、発音の違うものがあります。前出の read がよい例です。read は現在のときは〔ri:d〕、過去のときは〔red〕です。書く英語には関係ないようなものですが、書く英語とは言え、話す英語とは切り離すことのできないものですから、発音も正確に覚えてください。

注5　同じ綴りでも、ほかの単語の過去形である場合があります。lay がその一例です。前後の関係でこれは現在か過去か区別はつくと思いますが、一応念のため。

注6　大きな辞書になると、過去形がそのまま出ていて、これは何という単語の過去である、と説明してありますが、小さな辞書にはいちいち出ていないことがあります。そんなときのために、規則的に変化しない動詞は、自分で気付いたときに、ノートブックに書いて一つ一つ覚えておくようにします。遠回りのようですが結局は近道です。日本のほとんどの辞書の巻末には、不規則動詞表が出ています。

　ここからは、レッスンの練習問題に出てくるかっこ内の動詞は、すべて現在形にしてありますから、過去の場合は過去形に直してください。

［練習問題］
（1）おれは2時間待ったよ。
（2）私たちは京都に住んでいました。
（3）きょうテニスをしました。
（4）あなたの財布は机の上に置きました。
（5）太郎が私をたたいた。
（6）私は仕事を辞め（quit）ました。
（7）あなたの手紙を拝読しました。
（8）私たちは公園の（in the park）ベンチに（on the bench）腰掛けました。
（9）合唱団（choir）の歌は下手だ（poorly）った。
（10）われわれは一日中（all day）泳いでいました。
（11）ベルが鳴った。
（12）私は新しい食器洗い器（dishwasher）を買いました。

(13) きのう君のお母さんに会ったよ。
(14) 僕たちは犬小屋 (kennel) を作り (build) ました。
(15) あなたは約束を守りましたね。
(16) 私は秘密 (secret) を守った。
(17) 1万円使ってしまった。
(18) 私はロンドンまで飛行機で (by plane) 行きました。
(19) 風がとても強く (very hard) 吹きました。
(20) 誰か (someone) が私のカバンを盗んだ。
(21) 私は静かに横になっていた。
(22) 私は（私の）自転車を横にしておきました (lay down)。
(23) 私の母は軽井沢へ行きました。
(24) 私は卵を二つ焼い (fry) た。
(25) 私は本当のこと (the truth) を告げました。
(26) そう言ったのは私だ。(「私がそう言ったのだ」と書きます)
(27) 彼は優しく (gently) 話してくれました。
(28) それは私が書いたものです。
(29) 私はそれを知っていました。
(30) 富士山が見えた。
(31) 私はそのニュースを聞きました。
(32) 彼は上司 (his superior, his boss) の顔を殴った。
(33) きょう私は非常に面白い (interesting) 映画を見ました。
(34) 僕たちはけさテレビ・ゲーム (video game) をして遊んだよ。
(35) 私は中学の恩師 (high school teacher) に手紙を書いた。
(36) 私は昔 (years ago) あなたを愛していました。
(37) 彼は試験 (examination) に合格 (pass) しました。
(38) 私はきょうコーヒーを4杯飲んだ。
(39) あなたは先週北海道へ行きましたね。
(40) テレビで (on television) あなたを見ましたよ。
(41) あなたはゆうべよくお休み (sleep) になりましたね。
(42) 牧師 (minister) は2時間しゃべった。
(43) 私たちは新しい家を買いました。
(44) 幸子はバレー団 (ballet company) を退団し (leave) ました。
(45) 彼女は体重 (weight) が減り (失う＝lose) ました。
(46) 日本のチーム (Japanese team) がブラジル (Brazilian team) を負かし (beat) たよ。

(47) ロケット（rocket）が月に着陸し（land）た。
(48) 試合は1時に終わりました。
(49) 私は心変わり（change my mind）したの。
(50) 私は銀行家（banker）の娘と結婚し（marry）ました。
(51) 楽しかった。（「よい時〈a good time〉を持った」と書きます）
(52) ベティは犬を売ったのよ。
(53) ベティの妹は泣きました。

Lesson 96

過去形の疑問文は、現在形の例にならえばできます。do が did となればよいのですから。ただし、did は過去形になるので、元の動詞は現在形に戻ります。

[例題]
 You thought so.   （そう思ったのですね）
 → Did you think so? （そう思ったのですか）
 You waited long.   （長いこと待ちましたね）
 → Did you wait long? （長く待ちましたか）
 You slept well.   （よく寝ましたね）
 → Did you sleep well? （よく眠れましたか）
 Read this book.   （この本を読みなさい）
 → Did you read this book? （この本を読みましたか）

[練習問題]
(1) ニュースを聞きましたか。
(2) これは君が書いたのかい。
(3) テニスをしたのですか。
(4) 金を持ってきたか。
(5) 彼は見つかったのですか。
(6) 彼女と一緒に行ったのかい。
(7) 勝ちまし（win）たか。
(8) あの人無事に着いた（arrive）かしら。
(9) 彼に会えましたか。
(10) あなたは北京（Beijing）まで飛行機でいらっしたのですか。

(11) 君は本当のことを言ったのかい。
(12) ベルが鳴ったのかしら。
(13) 彼女は秘密を守ったのですか。
(14) 君は彼女にプロポーズし (propose) たかい。
(15) 彼女はイエスと言ったのかい。
(16) あなたは去年九州へ行きましたか。
(17) あなたは気が変わったのですか。
(18) あなたはまた (again) 引っ越し (move) したのですか。
(19) あなたは金庫にかぎを掛け (lock) ましたか。
(20) 手紙を出したでしょうね。

Lesson 97

「〜しなかったか」という質問も、Do you not...?, Don't you...? の形にならって (*Lesson* 71 参照)、Did you not...?, Didn't you...? のように書けばよいわけです。

［例題］
　Did you not see her?　　　（彼女を見かけなかったかい）
　→ Didn't you see her?
　Did we not pay it?　　　（私たちそれを払ったんじゃないの）
　→ Didn't we pay it?

［練習問題］
(1) そのニュースを聞かなかったの。
(2) 私はあなたにそう言い (tell) ませんでしたか。
(3) 佐藤さん (Mr.) はきょう来なかったのかい。
(4) 正午に君に電話し (call, phone, telephone) たじゃないか。
(5) ゆうべ宿題を終え (finish) なかったの。
(6) あなたはゴメスさん (Mr. Gomez) を知らなかったのですか。
(7) 商品 (merchandise, goods) は無事に着かなかったのですか。
(8) 見本 (sample) を送ってくれなかったのですか。
(9) よく眠れなかったのかい。
(10) そのメールを送らなかったの。

Lesson 98

whyを使っての do, did の場合、つまり「なぜ〜するのか」「なぜ〜したか」の書き方は、前出の Lesson 91 と形は同じです。

［例題］
Why do you say that?　　（どうしてそんな事言うの）
Why did you go there?　　（なぜそこへ行ったのですか）
Why do we study English?　（私たちはなぜ英語を勉強するの）
Why does Mr. Young go to Nagano every week?
　（ヤングさんはなぜ毎週長野へ行くのですか）

［練習問題］
(1) あんたはなぜ毎日私に電話をするのよ。
(2) あなたは私の手紙になぜ返事 (answer) をくれないの。
(3) 君は何の理由でここへやってきたんだい。
(4) おまえはどうして妹をぶった (hit, slap) んだい。
(5) あなたはなぜそんなに (so hard) 勉強するのですか。
(6) 星はなぜキラキラ輝く (twinkle) の。
(7) 隣りの (neighbor's) 犬はなぜあんなに (like that) ほえるのだろう。
(8) 犬はなぜしっぽを振る (wag) のかなあ。

Lesson 99

「なぜ〜しないのか」「なぜ〜しなかったのか」は、Why do...not...?, Why don't...? の形になります。

［例題］
Why do you not like this house?
→ Why don't you like this house?
　（あなたはなぜこの家が嫌なのですか）
Why do good people not prosper?
→ Why don't good people prosper?
　（善人はなぜ栄えないのだろうか）

書く英語・基礎編

```
Why did you not come yesterday?
→ Why didn't you come yesterday?
    (君はなぜきのう来なかったの)
```

[練習問題]
(1) なぜ落合さん (Miss) は君に会わないのかな。
(2) あなたはなぜ彼に電話をしないのですか。
(3) 人々 (people, they) はなぜ街路 (streets) をきれいに (clean) しないのかしら。
(4) おまえはなぜけさ早く (early) 起き (get up) なかったんだ。
(5) あなたはなぜ夜早く寝ないの。

42. because はこういうときに使う

Lesson 100

Why? Why?(なぜ、なぜ?)と聞かれると、「～という理由で」と言いたくなります。それに相当する英語は because です。次のように使います。

[例題]
Why do you watch baseball so much?
    (あなたはなぜそんなに野球を見るの)
Because baseball is a clean sport.
    (野球はクリーンなスポーツだからさ)
Why don't you visit us?
    (あなたはなぜ〈私たちを〉訪ねてくれないのですか)
Because you live so far away.
    (だって、あなたのところはとても遠いんだもの)
Why does a dog wag his tail?
    (犬はなぜしっぽを振るのだろう)
Because the tail cannot wag the dog.
    (しっぽが犬を振るわけにはいかないからさ)

because は必ずしも文の頭に来るとは限りません。上の例題のうち

第1部　単文

の3題は、because の前に次のような前置きがあるべきですが省略したのです。

　　I watch baseball so much because baseball is a clean sport.
　　I don't visit you because you live so far away.
　　The dog wags his tail because the tail cannot wag the dog.

because は上の犬の話のように、can または cannot と一緒に使えますし、am, are, is, was, were, have などとも併用できます。以下の例文を見てください。

[例題]
　Why are you not at school?（Why aren't you at school?）
　　（なぜ学校に行かないの）
　Because I am not well.
　　（だって気分が悪いからさ）
　Why can your father not see me?（Why can't your father see me?）
　　（なぜあなたのお父さんは僕に会ってくれないのですか）
　Because he is not home today.
　　（だって、きょうはいないんですもの）
　Why can't you take me to the concert today?
　　（なぜ、きょう音楽会に連れてってくれないの）
　Because I have no time.
　　（時間がないからさ）
　Why don't you have any time?
　　（なぜ時間がないの）
　Because I did not finish my report yesterday.（Because I didn't finish my report yesterday.）
　　（きのう報告書をやってしまわなかったからさ）

Lesson 101

where（どこ）what（何）なども why と同じように使えます。

[例題]
　Where do you live?　　　　　　（どちらにお住まいですか）
　I live in Meguro.　　　　　　　（目黒です）

```
What does your father do?    （あなたのお父さんのご職業は）
My father runs a business.（経営する）
                             （父は商売をやっています）
Where do we go from here?    （ここからどうするの）
We can do it all over again. （始めからやり直すさ）
```

[練習問題]
(1) あなたのご両親はどちらにお住まいですか。
(2) あなたのご主人は何をなさっているのですか。
(3) これはどういう意味 (mean) ですか。(「これは何を意味するのか」と書きます)
(4) あなたはこれから (now) どうする気なの (どうする気か＝何をするのか)。
(5) 君は彼女に何と言ったんだい。
(6) あなたはきのうどこへいらっしたのですか。
(7) "hypocrisy" とはどういう意味ですか。

Lesson 102

　who を使った疑問文について再び学びましょう。Who is that gentleman? は、「あの紳士は誰ですか」の意味でした。さて「誰が〜したか」「〜したのは誰か」と書きたいときは、who をそのまま行動の主体 (主語) に使います。次の a. と b. の文を見てください。

　　a. My father said so.　　（私の父がそう言いました）
　　b. Who said so?　　　　（誰がそう言ったのですか）
　a. と **b.** の位置を変えれば会話の形式にもなります。
　　Question: Who broke this vase?
　　　　　　（この花瓶は誰が割ったのですか）
　　Answer: I broke the vase.
　　　　　　（私がその花瓶を割りました）
　もっともこの返事は、普通の会話には長くて不自然に聞こえます。日本語では「私です」と言うでしょう。英語でも "I broke it." → "I did." とだんだん簡単になっていきます。"I broke it." の it は、the vase を指し、"I did." の did は broke を表しています。
　では、もう少しこの会話の形式で練習を進めてみましょう。

第 1 部　単　文

Q: Who came today?　（きょう誰が来ましたか）
A: My aunt did.　　（私の伯母です）
Q: Who knows the Web site (address) of the British Embassy?
　　（イギリス大使館のウェブサイトアドレスを誰か知らない）
A: I do.　（僕知ってる）
Q: Who paid this?　（これは誰が払ってくれたのかしら）
A: Your husband did.　（あなたのご主人が支払いました）

[練習問題]
(1) 今の電話は誰かう。(「今誰が電話したか」と書きます)
(2) 牛乳をこぼし (spill) たのは誰ですか。
(3) あなたのマンション (condominium) を買ったのはどなたですか。

　　注　日本で言うマンションは、アメリカでは分譲アパート (condominium) を意味し、会話ではよく略して condo と言います。英語のマンション (mansion) は、大邸宅を意味し、家賃を払って借りるのは、アメリカでは apartment、イギリスでは flat です。イギリスでは mansion（複数）は、内部がアパートに分かれた大きなビルを指します。

(4) この部屋を最後に (last) 出た (出る = leave) のは誰ですか。
(5) この本の著者は誰ですか。(「この本は誰が書いたか」と書きます)
(6) あなたを脅し (threaten) たのは誰ですか。
(7) この写真 (photograph) を撮っ (take) たのは誰ですか。
(8) 今晩の夕食は誰が作ったの。
(9) きょうはどこ (どこ = どのチーム = 誰) が勝ったのかな。
(10) 誰が台所 (kitchen) のテーブルからお金を取ったの。

43. whom を使って尋ねる

Lesson 103

who は「誰」という意味でした。では「誰に」とか「誰を」とかはどう言うかというと、それは whom です。

書く英語・基礎編

[例題]
　Whom did you see today?（きょうあなたは誰に会ったのですか）

[練習問題]
　(1) 順子さんは誰と（誰に）結婚したのですか。
　(2) 誰を雇い (hire) ましたか。
　(3) あなたは誰を愛しているの。
　(4) あなたの崇拝している (admire) 人物は誰ですか。
　(5) あなたは誰を信頼しているのですか。
　(6) 税務署 (tax office) で知っている人は誰ですか。

　注　最近は whom の m を取って、ただ who とするのが一般的です。[例] Who did you see today? 会話ならこれでよいのですが、書く英語の場合には、whom を使う文も覚えておいた方がよいでしょう。この本では、whom と書くべきところは、一応全部 whom にしておきます。

44. must (have to) の使い方

Lesson 104

　ここで must の使い方を学びましょう。must は「～しなければならない」という意味です。その用法や文中の位置は can と全く同じです。また、最近よく使われる have to も must と同じ意味です。(Lesson 142 — 178 頁参照)。a. と b. の文を比較してください。

　　a. I can input the data for you.
　　　　（私がそのデータを入力してあげる）
　　b. I must output the data.
　　　　（私はそのデータ出力しなければなりません）
　　a. Can you come now?　（今来れますか）
　　b. Must you go now?
　　　　（もう行かなければならないのですか）

　「～してはいけない」は must not です。これは 2 語ですが、会話の場合は mustn't になります。

第1部　単文

[例題]
 I must not cry.　　　　　（私は泣いてはいけないのだ）
 You must not tell a lie.　（うそをついてはいけません）
 They must not come here.
 　（彼ら〈彼女たち〉はここへ来てはいけない）

must not を質問に使うときは、must だけを頭にもってきます。
  Must I not stay here?　（私はここにいてはいけないのですか）
ただこういう文はあまり使わないと思います。Must I not stay here? は、むしろ Must I go? とか Must I leave? と書いた方が意味がはっきりします。ここでは Must I not...? の形があるということを覚えておくだけにしましょう。

[練習問題]
(1) もう私は行かなければ。
(2) この薬 (medicine) は日に (a day) 3回 (three times) 飲ま (飲む＝take) ないといけません。
(3) 私はこれをコピーし (copy) なければならないんだ。
(4) 夕飯前にお風呂に入り (入る＝take a bath) なさい。
(5) 11時前には就寝しなければなりません。
(6) カンニング (cheat) をしてはいけません。
(7) このことは忘れるなよ。

45. I give this to you. と I give you this. 式の文

Lesson 105

「これをあなたにあげます」という文をよく見ると、「あげる＝give」という動詞は、二つの目的語を対象にしていることがわかります。すなわち、「これを＝this」と「あなたに＝you」です。英語には次の二通りの書き方があります。
  I give this to you.　　　I give you this.
もう少し例文を見てみましょう。

書く英語・基礎編

[例題]
 He gave me this ring. （彼は私にこの指輪をくれたの）
 Send me your catalog. （カタログを〈私に〉送ってください）
 Read me a story. （物語を〈私に〉読んでください）
 Lend me some money. （〈私に〉お金を少し貸してください）
 The landlord showed me several rooms.
  （〈アパートの〉家主は私にいくつか部屋を見せてくれました）
 You told them the truth.
  （君はあの人たちに本当のことを言ったのだね）

上の例題は一応次のように言い換えることができます。
 He gave this ring to me.
 Send your catalog to me.
 Read a story to me.
 Lend some money to me.
 The landlord showed several rooms to me.
 You told the truth to them.

問題は、こう書き換えることによって意味が変わるかどうかということです。He gave me this ring. は、「この指輪を」がこの文の焦点になります。では、He gave this ring to me. はどうかというと、to me がやや強調されているということが言えます。しかし、こういう言葉のちょっとした違いは、もう少し先に進んでからでもよいような気がします。

[練習問題]
 (1) カメラを買ってよ。
 (2) 社長 (boss) が僕の給料を上げて (a raise) くれました。
 (3) 彼女はあなたの手紙を私に見せてくれました。
 (4) 警察署 (police station) から通知 (notice) が来ました。
 (5) きょう友だちからお土産 (present) をもらったの。
 (6) 彼女は君に何と言ったんだい。
 (7) そんなことをあなたに言ったのは誰ですか。
 (8) あんたはなぜ彼にそんなことを告げたのさ。
 (9) あなたはなぜ私に本当の事を知らせてくれなかったの。
 (10) 弟はどうしてこんな本を私に送ってくれたのかしら。

46. Which... or...? の形

Lesson 106

「どちらの〜」と尋ねるときは Which...? を使います。

[例題]
　Which house did you buy?　　（どっちの家を買いましたか）
　Which boy hit you?　　　　　（どの子がぶったの）
　Which flight goes to LA?
　　（どの便がロスへ行くのですか）
　Which school did you choose?
　　（どちらの学校になさいましたか）
　Which finger hurts?　　　　　（痛む指はどの指ですか）
　Which computer did the burglar steal?
　　（泥棒が盗んだのはどっちのコンピューターだった）

Lesson 107

ところで、which を使うには、or について知らなければなりません。or は次のように使います。

[例題]
　Which is it? A boy or a girl?
　　（〈生まれたのは〉どちらですか。男の子それとも女の子）
　Which do you want? Coffee or (black) tea?
　　（どちらがいいですか。コーヒーそれとも紅茶）
上の二つの例文は次のように書くこともできます。
　Which is it, a boy or a girl?
　Which do you want, coffee or (black) tea?
　書く英語としては、むしろこの方がよいので、これからはこの形を使います。

47. 比較する文の作り方と使い方

Lesson 108

　which と or を使って、どちらが「好き」とか「嫌い」とか言うと、「AのほうがBよりいい」とか「私は紅茶の方が好きだ」とか、比較して言うことになります。比較を表す言葉は比較級と言いますが、これは大体次のようにして作ります。

| Aグループ： | 語尾に「er」を付ける |

dark	→ darker	（暗い　→　より暗い）
fast	→ faster	（速い　→　より速い）
small	→ smaller	（小さい→　より小さい）
tall	→ taller	（高い　→　より高い）

　単語によっては、最後の文字をダブらせてから「er」を付けるものがあります。

| big | → bigger | （大きい→　より大きい） |
| red | → redder | （赤い　→　より赤い） |

　「e」で終っている単語は、「r」だけを加えます。

| nice | → nicer | （すてき→　よりすてき） |
| white | → whiter | （白い　→　より白い） |

　「y」で終わっている単語は、「i」に変えます。

early	→ earlier	（早い　→　より早い）
easy	→ easier	（易しい→　より易しい）
happy	→ happier	（幸福な→　より幸福な）

| Bグループ： | 別に規則のないもの |

| bad | → worse | （悪い　→　より悪い） |
| good | → better | （よい　→　よりよい） |

| Cグループ： | 通常、字数の多い単語で、「er」だけでは比較級であることが一目でわかりにくいものは、more という語をその単語の前にもってきます。 |

　beautiful→ more beautiful　（美しい　→　より美しい）

```
diligent  → more diligent    （勤勉な  →   より勤勉な）
efficient → more efficient   （能率的な→   より能率的な）
```

さて、「北海道は四国より大きいです」の「より」はどう表すかというと、これは than という語で表し、語順は次のようになります。
　　　Hokkaido is bigger than Shikoku.
では、これに類した例を幾つか挙げてみましょう。

[例題]
　　Jets are faster than propeller-driven airplanes.
　　　（ジェット機はプロペラ機より速いです）
　　This room is darker than the front room.
　　　（この部屋は表の部屋より暗いです）
　　I am shorter than you are.
　　　（私はあなたより背が低いです）
　　Italy is smaller than Japan.
　　　（イタリアは日本より小さいです）
　　Your face looked redder than mine.
　　　（君の顔は僕より赤かったよ）
　　Claire is nicer than Sally.
　　　（サリーよりクレアの方がいい子だ）
　　It cleans whiter than snow
　　　（それは雪より白くきれいにします）
　　An air conditioner is better than an electric fan.
　　　（エアコンの方が扇風機よりいいです）
　　My cold is worse than your cold.
　　　（僕の風邪は君の風邪よりひどいよ）
　　My wife is more beautiful than Liz.
　　　（おれの女房の方がリズより美しいね）
　　You are more diligent than Tommy.
　　　（トミーより君の方が勤勉だね）
　　This new machine is more efficient than the old machine.
　　　（この新しい機械の方が古いのよりよっぽど性能がいいね）

書く英語・基礎編

[練習問題]
(1) バスの方が路面電車（street car, trolley）より速いです。
(2) ビル（Bill）よりジョージ（George）の方が背が高いです。
(3) 東京タワー（Tokyo Tower）の方がエッフェル塔（the Eiffel Tower）より高いです。
(4) これは私のカメラより小さいですね。
(5) 絹（silk）はナイロン（nylon）よりいいですか。
(6) あなたの風邪（cold）は私よりひどいわね。
(7) 松島は宮島より美しいですか。
(8) メッツ（Mets）はヤンキース（Yankees）より強いですか。
(9) 緑茶（green tea）は紅茶より強くないのかい。
(10) このスポンジケーキ（sponge cake）はあのチーズケーキ（cheesecake）より甘いです。

　注　Tokyo Tower には the を付けないでいいでしょう。また sponge cake は、カステラのようなケーキです。

Lesson 109

　前のレッスンで説明したことは、主に形容（修飾）の言葉（形容詞）に関する比較級でした。これはそのまま名詞に付けて使うことができます。

[例題]
　　This is a better tool.　　　（この道具の方がいいね）
　　This is a bigger room.　　　（この部屋の方が大きいです）

　上の文には、それぞれ次の than the other tool と than the other room という言葉が省略されています。比較の対象となる言葉が、略せない場合には、次のように書きます。
　　Tokyo is a bigger metropolis than Nagoya.
　　　（東京は名古屋より大きな都会です）
　　Yokohama is a more famous port than Hakodate.
　　　（横浜は函館より有名な港です）

130

［練習問題］
(1) 歴史は科学 (science) より面白い科目 (interesting subject) です。
(2) 新宿駅の方が渋谷駅より混雑し (crowded) ます。
(3) 北米 (North America) は南米 (South America) より大きな大陸 (continent) である。
(4) 山脇さん (Miss) の方がスティーブンスさん (Miss Stevens) よりうまい歌手 (better singer) だ。
(5) 日本語 (Japanese) は英語より複雑な (complicated) 言語 (language) です。
(6) 神戸は横浜より重要な (important) 港ではありませんか。
(7) 大泉さん (Mr.) は森井さん (Mr.) よりいい政治家 (politician) じゃないですか。
(8) 春より秋 (autumn, fall) の方がよい季節 (season) ですね。

Lesson 110

行動の程度を表す言葉を副詞と言いますが、副詞にも比較の形があります。Lesson 108 の fast → faster は、副詞でもあるのです。

［例題］
    Please walk faster.　　　（もっと速く歩いてください）
しかし、大抵の副詞には語尾に ly が付いているので、すぐ見分けがつくと思います。
    Please walk more slowly.　（もっとゆっくり歩いてください）
    Speak more clearly.　　　（もっとはっきり話してください）
    Can't you sing more beautifully?（もっと美しく歌えませんか）
また、「キャロルはメアリーよりファッショナブルなものを着ます」という下の文のように、A と B との行動を比較することも、この方法で表現することができます。
    Carol dresses more fashionably than Mary.
これにならった例題をもう一つ挙げましょう。
    This car runs more smoothly than your car.
      （この自動車は君の自動車よりスムーズに走るね）

I am not well.（私は具合が悪い）と、I don't feel well.（気分がすぐれない）の well という語は形容詞でもあり、副詞でもあります。比較級は better ですから、「具合がよくなった」は "I am better." と言い、「気分がよくなった」は "I feel better." と言います。good の比較級も better ですが、次のように使うことができます（ただし good が副詞として使われるのは主に会話のときです）。"Oh, I feel good." のように言います。

[例題]
　This pen writes better than my pen.
　　（このペンは僕のより書きいい）
　This coffee tastes better than our coffee.
　　（このコーヒーはうちのコーヒーよりおいしい）
　You speak English better than I do.
　　（君は僕より英語がうまいね）

[練習問題]
　(1) 利根川（the Tone River）は多摩川より長いです。
　(2) 太平洋（the Pacific）は大西洋（the Atlantic）より大きな海（ocean）です。
　(3) この車の方が君の車より値段が高い（expensive）。
　(4) チーター（cheetah）の方がライオンより速く走れます。
　(5) この本（複数）の方があの本（複数）よりよく売れ（sell）ます。
　(6) あなたの方が私よりやせている（thin）。
　(7) 僕の方が君より年上だ。
　(8) あなたの方が私よりフランス語がうまいわね。

Lesson 111

　better という語が使えると which...or が使えます。以下の例文を見てください。

[例題]
　Which do you like better, beer or wine?
　　（ビールとワインとどちらがお好きですか）

I like beer better than wine.
   （ビールの方がワインより好きです）
Which do you like better, Canada or Mexico?
   （カナダとメキシコではどちらが好きですか）
I like Canada better.　（カナダの方が好きです）

では、すぐ練習していただきましょう。

[練習問題]
(1) あなたはバスケットボール（basketball）とバレーボール（volleyball）とではどちらが好きですか。私はバレーボールの方がバスケットボールより好きです。
(2) ステーキ（beefsteak）とローストビーフ（roast beef）とではどちらがお好きですか。ステーキよりローストビーフの方が好きです。
(3) ポタージュ（pottage, potage）とコンソメ（consommé）とではどっちが好きなんだい。ポタージュの方だね。
(4) あなたは元子さんと君子さんとではどっちが好きなの。元子さんね。

Lesson 112

better だけでなく bigger, more beautiful, more beautifully など、すべて or を使って質問することができます。

[例題]
Which is bigger, New York or London?
   （ニューヨークとロンドンとではどちらが大きいですか）
London is.　（ロンドンの方が大きいです）
Which is a more beautiful actress, Linda or Paula?
   （リンダとポーラとでは女優としてどちらが美しいかな）
Paula is.　（ポーラさ）
Who dresses more fashionably, Mrs. Goodridge or Mrs. Smith?
   （グッドリッジ夫人とスミス夫人ではどちらがファッショナブルなものを着ているかしら）

　　　　Mrs. Smith does.　（スミス夫人よ）
　前にも述べましたが、上の例題の答えは極めて簡単ですが、いずれも省略された文です。ただし、省略された文ではあっても正式なもので、いつどこで使っても差支えありません。逆に次のように全文を書いたのでは、かえってくどくなります。
　　　　London is.＝London is bigger than New York.
　　　　Paula is.＝Paula is a more beautiful actress than Linda.
　　　　Mrs. Smith does.＝Mrs. Smith dresses more fashionably than Mrs. Goodridge.

［練習問題］
　（1）東京とロンドンとではどちらが大きいですか。東京です。
　（2）山中さん（Mrs.）と小林さん（Mrs.）とではどちらが料理が上手（better cook）ですか。山中さんです。
　（3）折登さんと石渡さんとではどちらが年上（older）ですか。折登さんです。
　（4）ブラッドレー（Bradley）氏とブレーク（Blake）氏とではどちらが地位が上（rank higher）ですか。ブレーク氏です。
　（5）水泳（swimming）と山登り（mountain climbing）とではどちらが好きですか。水泳ですね。
　（6）歩く（walking）のと電車に乗る（riding trains）のとどっちがいい。電車に乗る方がいい。

　　注　動詞 swim に ing の付いた形を、文法では gerund（動名詞）と言います。いわば「泳ぐこと」という名詞です。「50. 動詞＋ing（動名詞）の活用」参照。

48. 未来のことを書くにはどうするか

Lesson 113

　こんどは未来のことを書くのを学びます。「彼は私のところへ戻って来ます」は、He will come back to me. です。つまり、この will が未来であることを示しています。もう少し例題を見てみましょう。

[例題]
 I will see you again tomorrow.　　　（じゃあまたあす）
 I will come home early tonight.　　（今夜は早く帰るよ）
 Mr. Goto will not like it.　（後藤さんはそれを好まないでしょう）
 The United Nations will meet next month.
  （国連は来月開かれます）
 The door will open at ten o'clock.　（10時に開場します）
 They will find you eventually.　　　（いつか君は見つかるよ）

　こうしてみると、主語が何であろうと will でよいことがわかります。ところが、よく読んでみると、I will come home early tonight.や Mr. Goto will not like it. の will には、本人の意志が含まれていることがわかります。
　ここで一言 shall について話しておきましょう。半世紀前までは、shall はよく使われていました。I shall probably see him later.（多分後で彼に会うだろう ― 私の意志に関係のない単純な未来）のような言い方と、What shall I say to your father?（あなたのお父さんに何と言ったらいいでしょうか ― あなたの考え）とか、You shall not keep the dog in the house.（家の中で犬を飼ってはいけません ― 私の意志）のように三通りありました。しかしこれらの形は次第に次のように変化してきました。

  I shall probably see him later.
  → I'll probably see him later.
  What shall I say to your father?
  → What do you want me to say to your father?
  You shall not keep the dog in the house.
  → You should not keep the dog in the house.

　矢印の文章の方が現代的な書き方だということが言えます。上の文の I'll... も I will を省略した形ですから、shall はもうどこにも見られなくなりました。
　それでは shall は廃れてしまったのかというと、そうでもありません。会話の中にかすかに残っています。"Shall we go by taxi?"（〈私たちは〉タクシーに乗って行きましょうか）など、今でも聞かれる形です。ただ私の言わんとしているのは、書く英語において、shall はもうほとんど使われなくなったということです。日本の学校や英文法の教

科書では、まだこの shall を重要視している場合もあるかと思います。それは文学書などを読みこなすために払われる努力であって（決して軽視してはならないものであることは言うまでもありませんが）、あなたの書く英語を modern で「生きたもの」にするには、古い英文法にとらわれないことが大切です。

ところで読者は、should の使い方をまだ習っていません。順序が前後しますが、*Lesson* 145 — 183 頁の should のところを一読してください。

さて、私たちが日常書く英語では、will の使い方を、一応次のように整理しておきたいと思います。

  I will **a.** 自分の強いはっきりとした意志。
       b. 自分に関する近い未来の予測。
  You will **a.** 自分で相手の未来を予測するとき。
       b. Will you...? と聞くのは、相手の意志を打診するか、または自分が相手に何か頼むとき。
  He will **a.** 自分が第三者の未来または気持を予測するとき。
       b. Will he...? と聞くのは、自分が相手に第三者の気持を聞く場合。

もちろん I は we も兼ね、you は単数・複数を兼ね、he は she, it, they と、それに相当する名詞なり主語なりを含んでの話です。もう少し例を挙げます。

[例題]
 I will give you an alarm clock on your birthday.
  （あんたの誕生日には目覚まし時計をあげよう — はっきりとした自分の意志）
 I will probably see him at the office today.
  （多分きょう彼に事務所で会うでしょう — 自分の意志には関係ない）
 You will catch cold.
  （風邪を引きますよ — 将来を予測している）
 You will welcome it.
  （あなたはそれを歓迎するでしょう — 自分の気持から察して相手のすることを予測している）

第 1 部　単　文

Will you buy me a video camera for Christmas?
　　（クリスマスには私にビデオカメラを買って下さらない ― 相手の意志を聞いている）
Will your mother like me?
　　（あなたのお母さんは私を気に入ってくださるかしら ― 第三者の気持を聞いている）
She will like you.
　　（彼女は好きになるよ ― 自分が第三者の気持を予測している）
My mother will not say yes or no.
　　（私の母はイエスともノーとも言わないでしょう ― これも自分が第三者の気持を察して言っている）
Boys will be boys.
　　（男の子はいつになっても男の子さ）

　注　最後の文はいわば例外で、誰の気持も表しておらず、わかりきったことを言う場合です。Boys are boys. と言ってもいいところですが、will が入ると「いつになっても」という避けられない将来のことが表現されるのです。

　ところで will を使った場合、am, are, is などはどうなるのでしょうか（see だの catch だのはそのままの形でした）。
　am, are, is は全部 be という語に変わってしまいます。これは実は、変わるというよりは be に還元されると言った方がよいでしょう。am, are, is などは be 動詞と言われているほどですから。I am は I be、you are は you be、they are は they be、he, she, it is は he be, she be, it be が元来の形であった、と見ても差し支えないでしょう。次の **a.** と **b.** の文を比較してください。

　　a. I am nineteen years old.　　（私は 19 歳です）
　　b. I will be 20 years old next year.
　　　　　　　　　　　　　　（私は来年 20 歳になります）
　　a. We are strong.　　　　（私たちは強いです）
　　b. We will be strong.　　（私たちは強くなります）
　　a. You are late.　　　　　（あなたは遅れている ― 遅れた）
　　b. You will be late.　　　（あなたは遅れますよ）
　　a. He is angry.　　　　　（彼は怒っています）
　　b. He will be angry.　　　（彼はきっと怒るよ）

    a. She is tall.　　　　　　（彼女は背が高いです）
    b. Will she be tall?　　　　（彼女は背が高くなるでしょうか）
    a. They are tigers.　　　　（これらはトラです）
    b. Will they be tigers?　　（これらはトラになるだろうか）

　英文を読んでいると、I'll とか You'll という言葉に出会うことがあります。これは先程も述べたように、I'll は I will の省略で、you'll は you will の略です。現在、会話では全部この形になってしまった、と言ってよいでしょう。書く英語の場合は、親しい人に宛てる手紙なら使ってもかまいませんが、公式文書や商用の手紙には薦められません。

　もう一つ、will not はときどき won't と省略されます。これも会話のときによく使われます。Won't you come next Saturday? (次の土曜日においでになりませんか) という意味です。略さずに書けば Will you not come next Saturday? となるわけです (「英語の省略と短縮について」—78, 79 頁参照)。

　ついでですが、相手の気持を尋ねる場合、You will come next Saturday, won't you? と言うことがあります。この won't you? は「土曜日においでくださいますね」の「ね」に当るものです。

［練習問題］

  (1) 子供の日 (Children's Day) におまえを動物園に連れて (take) いってやるよ。
  (2) 今夜電話をするよ。
  (3) 私はあなたの妻になります。
  (4) 私は遅刻 (be late) しそうだ。
  (5) 私は次の誕生日には 33 歳になります。
  (6) 6 時ごろ (around, about) 戻るよ。
  (7) お医者さんを呼び (call) ましょうか。
  (8) 私このドレスを着 (wear) ようかしら。
  (9) この野菜 (vegetable) を包んで (wrap) くださらない。
  (10) バスに乗り損ない (miss) ますよ。
  (11) あなたにはそれは見つけられないでしょう。(「あなたはそれを見つけないでしょう」と書きます)
  (12) 先生はこの問題 (question) を聞く (ask) だろうか。
  (13) 父は今夜は帰らないでしょう。
  (14) 学校は 9 月 10 日に始まり (begin) ます。

Lesson 114

　さて、ここではちょっと変わったことを学びます。前に命令形を説明した時に（*Lesson* 50～54 参照）、一緒にやっておくべきでしたが、未来形を学んでいなかったので、ここまで残しておきました。実はそれは、Walk faster or you will be late.（もっと速く歩きなさい、さもないと遅れますよ）の形です。つまりこの or は、日本語の「さもないと」に当たるわけです。例題を見てください。

［例題］
　　Get up now or you will miss the train.
　　　（すぐ起きなさい、さもないと電車に乗り遅れますよ）
　　Eat more slowly or you will get sick.
　　　（もっとゆっくり食べないと病気になりますよ）
　　Stop it or I will tell your mother.
　　　（やめなさい、さもないとお母さんに言いつけますよ）

Lesson 115

　将来のことでも、一定の時期とか時刻なりが、あらかじめ決まっていたり、周知のことなら、わざわざ will を使わずに済ませることもあります。

［例題］
　　The next bullet train for Tokyo leaves at 11:25 a.m.（弾丸）
　　　（次の東京行新幹線は午前11時25分に発車します）
　　Mr. Williams leaves at six tonight.
　　　（ウィリアムズさんは今夜6時におたちです）
　　Next Sunday is November 10th.
　　　（次の日曜日は11月10日です）
　　December second is Friday.
　　　（12月2日は金曜日です）
　　Dinner is at six.
　　　（夕食は6時です）

Lesson 116

will は can, do と同じように what, when, who などと一緒になって疑問文を作るのに使うことができます。

[例題]
What will you have for breakfast?
　　（朝食は何になさいますか）
When will Mr. Yamada come back?
　　（山田さんはいつお帰りになりますか）
Who will pay the bill?　　（誰が勘定を払うのだい）
How will you do it?　　（それをどのようにやるつもりですか）
Where will you meet me?　（どこで落ち合いましょうか）
What time will the next train leave?
　　（次の列車は何時に出ますか）
Which girl will he marry?
　　（どっちの娘さんと彼は結婚するのだろう）

[練習問題]
(1) 夕食は何になさいますか。
(2) どっちの（コンピューター）ソフト（software）にする（get）のだい。
(3) 君のお母さんは何時に着くのだろう。
(4) 誰がマラソンで（in the marathon）金メダルを取るだろうね。
(5) 誰をわれわれの結婚式（wedding）に招待し（invite）ようか。
(6) いつ遊園地（amusement park）へ行こうか。
(7) あなたはあしたは何をするつもりなの。
(8) きょうの午後3時ごろあなたはどこにいますか。
(9) シンガポール（Singapore）行の次の飛行機（plane — ジェット機を含む）はいつ成田を出発しますか。
(10) 誰が一番先に私に結婚を申し込むかしら。

第1部　単　文

49. I am reading... の形（現在進行形）

Lesson 117

　ここまでに習ったことは、だいたい **a.** から **g.** の文と日付・数・量の書き方でした。

- **a.** 「〜である」「〜でない」
- **b.** 「〜であるのか」「〜ではないのか」
- **c.** 「〜は〜する」「〜は〜しない」
- **d.** 「〜は〜を〜する」「〜は〜を〜しない」
- **e.** 「〜してください」「〜してはいけない」
- **f.** 「だれが」「どこで」「何を」「だれの」「なぜ」「どうしたら」「どれ」
- **g.** 「〜するでしょう」「〜になるでしょう」（未来）

　今度は、「今現に〜をしている」という現在進行形と呼ぶ形を学びます。I read books in English. は「私は英書を読みます」という意味ですが、「今私は英語の本を読んでいるところです」という状態、つまり行動の進行している事実を述べるときには次のように書きます。

　　I am reading a book in English now.

　この文には read という動詞に ing を加えた単語が使われています。

［例題］
　　I am watching television. 　（私は今テレビを見ています）
　　You are watching television with me.
　　　（あなたは私と一緒にテレビを見ています）
　　My mother is cooking in the kitchen.
　　　（母は台所で料理をしています）
　　My father is taking a bath.
　　　（父は風呂に入っています）
　　My brother and sister are studying in their rooms.
　　　（弟と妹は彼と彼女の部屋で勉強しています）

　大抵の動詞は、ただ ing をそのまま語尾に加えればよいのですが、中には、ほんの少しばかり語尾の綴りを変えるものがあります。例えば以下の動詞です。

　　　　hope（望む）→ hoping　　　　make（作る）→ making
　　　　skate（スケートする）→ skating　　take（取る）→ taking
それから次のようなものもあります。
　　　　bet（賭ける）→ betting　　　　put（置く）→ putting
例外ともいうべきものは die（死ぬ）で、これは dying となります。dye（染める）の進行形は dyeing です。発音が同じなのでよく間違えることがあります。

[練習問題]
(1) 私は今勉強しています。
(2) 今あなたは伝言（message）を書いていますね。
(3) われわれは今音楽（music）を聞いて（listen）います。
(4) 私はドイツ人（German）の青年と文通して（correspond）います。
(5) 消防署（the Fire Station）は現在火事の原因（cause）を調査（investigate）中です。
(6) 山中博士は今新しい辞書を編纂（compile）中です。
(7) 電話が鳴っている。早く出な（答える＝answer）さい。
(8) われわれは修学旅行（school excursion）のために今貯金して（save）います。

Lesson 118

進行形の文章の中にちょっと特別なものがあります。それは次のように時間や時期が決められた場合です。

[例題]
　　When are you leaving?　　　　（いつおたちになりますか）
　　I am leaving tomorrow morning.　　（あすの朝たちます）

　上の例題のうち、I am leaving tomorrow morning. という答えの方は、日本語の感覚からいうとちょっと変な感じがします。現在進行形でありながら、未来のことを表すことになるからです。
　順序が前後しますが、こんどは質問している文の方を見てください。この文には、英語の微妙なニュアンスがあります。「いつおたちにな

りますか」を、When will you leave? と、普通の未来形を使って言うと、「いつ出てってくれますか」という風に聞こえてしまうのです。相手の意志をはっきり尋ねているからです。

　そこで、出発するに決まっている人に尋ねる場合には、現在進行形の「いつ出発することになっていますか」を使った方がよいわけです。一方答えの方ですが、これは「出発する＝leave」という状態が、気持の上で既に始まっており、少なくとも明朝まで続くので、I am leaving tomorrow morning. と言うことができるわけです。

　けれども、あまり難しく考えないで、現時点から未来のある時まで行動が続く場合には、このように現在進行形と未来を表す言葉とが一緒になってもいいのだ、と思ってください。もう少し例文を見ることにしましょう。

［例題］
　　My girlfriend is coming next week.
　　　（僕のガールフレンドが来週来ます）
　　The express train is arriving at 4 p.m.
　　　（急行列車は午後4時に到着の予定です）
　　We are leaving on Monday.
　　　（われわれは月曜日に出発します）
　　The Queen Elizabeth 2 is sailing at noon.
　　　（クイーン・エリザベス二世号は正午に出港の予定です）

　これらの例題を見てもわかるように、現在進行形と言っても、「到着する」とか「出発する」のような動詞でないと、時刻や時期が表された場合は使えないということが言えます。つまり、日常の行動の「食べる、飲む」(eat, drink) とか、いつ終わるともわからない行動、「学ぶ」(learn) などは、こういう形にはならないということです。

［練習問題］
　（1）山岡さんは明晩おたちの予定です。
　（2）父は来週帰ってきます。
　（3）ブラウンさん (Miss Brown) は3時にここへ来るはずです。

50. 動詞＋ing（動名詞）の活用

Lesson 119

ここで gerund（動名詞）について述べましょう。この形は進行形と同じく動詞に ing を付けたものです。現在進行形の場合と違い、これは、動詞の役を兼ねた名詞で極めて便利なものです。この活用を覚えてください。

[例題]
　　Reading is my hobby.　　　（読書は私の趣味です）
　　Skating is fun.　　　　　　（スケートは面白い）
　　Singing is not easy.　　　　（歌をうたうのは難しいね）
　　Seeing is believing.　　　　（百聞は一見にしかず）
　　I enjoy reading.　　　　　　（私は読書が好きです）
　　I enjoy reading good books.（私は良書を読むのが楽しみです）
　　I enjoyed meeting you.　　　（お目にかかれて嬉しいです）
　　Start eating.　　　　　　　（食べ始めなさい）
　　Stop crying.　　　　　　　　（泣くのはやめなさい）
　　You must stop drinking.　　（飲酒をやめなければいけません）
　　I cannot stop smoking.　　　（たばこはやめられない）
　　I cannot help loving you.　（あなたを愛さずにはいられません）

gerund の使い方をわかっていただけたでしょうか。慣れるまで少し時間がかかるかもしれません。日本語にもこういった形はあると思いますが、私たちはそんなことに気付かずにいます。英語でも同じことです。たくさん使って慣れてしまえば何でもないことです。

次の練習問題の中には、ほかの形で書けるものも交じっていますが、一応全部 gerund を活用して書いてみてください。

[練習問題]
(1) スキーは楽しいものです。
(2) 親族（relative）をしかる（scold）のが祖父の悪いくせ（habit）です。
(3) ドアをバタン（slam）と閉めるのは失礼（rude）です。

(4) ピクニック (on a picnic) は健康に (for health) よい。
(5) 自動車を運転する (drive) のは難しい (difficult) です。
(6) 風呂に入るのは面倒臭い (nuisance) ね。
(7) ウエブ (the Web — インターネットのネットワーク) にアクセスすると面白いね。
(8) 野球をテレビで見る (watch on television) のが好きです。
(9) 英語を書くのは話すよりやさしいです。
(10) 旦那さんに小言を言う (nag) のはやめなさいよ。
(11) たばこをやめられますか。
(12) エレキギターを弾く (play the electric guitar) のはやさしいですか。
(13) 仕事 (work) の後で休む (rest) のは大切な (important) ことです。
(14) 公衆の前で (in public) あくびをする (yawn) のはよくない。
(15) 立小便 (urinate in public) は野蛮 (uncivilized) である。
(16) おじぎ (bow) をするのは日本の習慣 (Japanese custom) です。
(17) 彼を信じたのが悪か (悪い＝私の落度＝ my mistake) ったのです。
(18) 私に電話するのをやめていただけませんか。(Can't you で書き始めます)
(19) あなたはジャズ (jazz) を聞く (listen to) のが好きですか。
(20) あなたのお母さんは歌舞伎に行くのがお好きなんですか。
(21) あなたはなぜ美紀さんに会うのをやめたのですか。
(22) 損をして喜ぶ者がいますか。(「誰が損をして喜ぶか」と書きます)

Lesson 120

be 動詞も gerund になります。例えば以下のようにです。

[例題]
　Stop being a baby.　　　　（子供じみたことはよしなさい）
　Do you mind being my teacher?
　　　（あなたは私の先生になってもかまいませんか）

Do you mind being our escort for the day?
　　(きょうだけ私たちをエスコートしていただけませんか)
Do you like being famous?　(有名になるのは好きですか)
I don't like being poor.　　(貧乏は嫌いです)
Becoming a teacher was easy, but being a teacher is difficult.
　　(教師になるのは何でもなかったけれど、教師であることは難しいものです)
Marrying you was simple, but being your wife is another matter.
　　(あなたと結婚するのは簡単だったけど、あなたの妻であることは別問題です)
Being small is no fun, but being too tall must be awkward sometimes.
　　(背が低いのも面白くないけれど、背が高過ぎるのも時には具合の悪いこともあるだろうね)
You lose one point for being late.
　　(遅刻したから1点減点するよ)
Being in love is wonderful.　　(恋愛はすばらしきかな)
Being a bachelor has some merits.　(独身〈男〉も長所あり)
Being young, healthy and beautiful is Hollywood's creed.
　　(青春と健康と美がハリウッドの信条である)
Being neutral on this issue is being against me.
　　(この論点で中立であることは私に反対していることです)
Is being beautiful a sin?
　　(美しいことは〈道徳的〉罪ですか)
Is being happy a crime?
　　(幸福であることは罪悪ですか)

[練習問題]
(1) 泣き虫 (crybaby) はよせ。
(2) 私の家庭教師になってもかまいませんか。
(3) 1日だけ私たちのコーチ (coach) になってもらえませんか。
(4) 人気者になる (人気がある＝be popular) のはどうだい。
(5) 病気でいるのは嫌です。
(6) 外交官 (diplomat) になるのはたやすかったけれど、外交官

でいるのは難しいものです。
- (7) あんたを養子にする (adopt you as a son) のは簡単だったけれど、育ての親 (foster parent) になるのはまた別なことだったね。
- (8) 太っているのも面白くないけど、あまりやせているのも時には格好悪いよね。
- (9) 時間通り (on time) に来たことに対して1,000円あげよう。
- (10) 恋愛は金の掛かるものだ。
- (11) 独身はつまらない (not easy)。
- (12) 美人であるより健康である方がましだわ。
- (13) その政策 (policy) に中立であることはそれを支持している (support) ことさ。
- (14) 貧しいことは罪ですか。
- (15) 金持ちであることは罪悪ですか。

51. like (〜のようだ) と the same as の使い方

Lesson 121

ここで like という単語のもう一つの働きを学んでください。「好き」という動詞ではなくて「〜のようだ」という意味の使い方です。

[例題]
This is a fine day. It is like spring!
　　（きょうはいい天気だ。春のようだ）
You are just like your father.
　　（あなたはお父さんにそっくりね）

注　Like father, like son.「この父にしてこの子あり」という諺もあります。

Being young is like being rich.
　　（若さは富みに等しい）
Eating too much is like shortening your life.
　　（食べ過ぎは命を縮めるに等しい）

この like と同じ意味をもった表現に the same as というのがありますから、ついでに覚えておいてください。前の例を次のように言うことができます。
　　Eating too much is the same as shortening your life.
　もっと例を挙げてみましょう。
　　Leaving me now is the same as deserting me.
　　　（今私から去ることは私を見捨てるに等しい）
　　Too much of something is the same as too little.
　　　（過ぎたるはなお及ばざるが如し）
　　Coming late is the same as not coming.
　　　（遅れてくるのは来ないのと同じである）
　　Stealing ten yen is the same as stealing a million.
　　　（10円盗むのも100万円盗むのも同じことだ＝犯罪であることに変りはない）
　　Seeing you is the same as seeing your boss.
　　　（あなたに会えばあなたの上司に会ったも同じことです）

　注　the same as にしても like にしても、いつも gerund と一緒に使うのではありません。It is like spring. のように使ってもよいのです。例えば、Todai is the same as Tokyo University.（東大は東京大学のことです）と言うのと同じです。

　［練習問題］
　　(1) 暑い！まるで夏だ。
　　(2) あなたはお母さんと瓜二つね。
　　(3) 能率的 (efficient) であることは機械 (machine) であるような気がします。
　　(4) 勉強 (study, work) のし過ぎは遊び過ぎと同じさ。
　　(5) あなたとのデート (date) はプリンセスとデートするようなものです。
　　(6) 早過ぎる (too early) のは遅過ぎるのと同じだよ。
　　(7) あなたにお会いすればご主人にお会いしたも同様です。
　　(8) あなたと電話でお話しができたので、お会いしたくらい嬉しかったです。（日本文にとらわれないで、全文の意味をつかんで英語にしてください。「嬉しい」は訳す必要はありません）

第1部　単　文

52. to＋動詞 の形はどういうときに使うか

Lesson 122

　一つの文の中に二つの行動が重なっていることがあります。「あなたに会いに来た」の中の「会いに」「来た」がそれです。これが、「私は行って会った」なら、行動が重なっているとは言えません。これは一つの文の中に二つの別々な行動が含まれているだけです。そこで「行って会った」を英語で表すと、I went and I met him (her). または I went and met him (her). です。つまり and で二つの行動 went と met の関係が表されています。

　ところが「あなたに会いに来た」は、「来る」という行動と「会う」という行動は切り離せません。「会う」ことがなければ「来る」必要がなかったからです。それで、これは次のように書き表します。

　［例題］
　　I came to see you.　（私はあなたに会いにきました）
　これと同様の形をもう少し挙げてみます。
　　She went to study in America.
　　　（彼女はアメリカに留学しました）
　　Mr. Saito decided to write a new book.
　　　（斉藤さんは新しい本を書くことに決めました）
　　She sang again to please her audience.
　　　（彼女は聴衆を喜ばせるためにもう1回歌いました）
　　He walks for half an hour every morning to reduce his weight.
　　　（彼は体重を減らすために毎朝30分歩きます）
　　The doctor told me to lie down.
　　　（医者は私に横になりなさいと言いました）
　　I shut the door to shut off the noise.
　　　（私は騒音を防ぐためにドアを閉めました）
to＋動詞は、そのまま gerund と同じように使えます。
　　To err is human; to forgive divine.
　　　（過ちを犯すのは人の常、許すは神の道）
　　To go out in this rain is foolish.
　　　（この雨の中に出て行くのはばかげてるよ）

To enter that school is not easy.
　　　　（あの学校に入るのは容易ではありません）
　　To win this game is the same as winning the tournament.
　　　　（この試合に勝つことはトーナメントに優勝するに等しい）
「～しないのは」と否定の形にするには not を to の前に置きます。
　　Not to win this game is the same as losing the pennant.
　　　　（このゲームに勝てないとペナントを失うことになります）
　　Not to see you all week is like wasting a whole year.（waste ＝
　　　　浪費する）
　　　　（1週間全然あなたに会えないということは、丸1年無駄にす
　　　　るようなものです）
　　Not to have any money is hard.
　　　　（お金がないというのはつらいことです）
　　Not to know anyone in a strange town is no fun.（見慣れない）
　　　　（知る人いない見知らぬ町にいるのは面白くないね）
　　The doctor told me not to eat fatty food(s).（脂肪の多い食べ物）
　　　　（医者は私に油気のものを食べるなと言いました）
　　I asked you not to do it.
　　　　（そんなことをしないようにあなたに頼んでおいたのに）
次の文をよく見てください。
　　To tell a lie is wrong.　　　（うそをつくのは悪いことである）
これを次のような形に書き換えることができます。
　　It is wrong to tell a lie.
直訳すると「悪いことである、うそをつくことは」となり、it は to tell a lie を代行するわけです。英文としてはこの形の方がよく、また多く使われます。もう少し例題を挙げてみましょう。
　　It is good to see you.　　　（お目にかかれてうれしいです）
　　It will be good to see you again.
　　　　（またあなたに会えればうれしいですね）
　　It was tragic to lose him.（悲劇的な、tragedy ＝悲劇）
　　　　（彼を失ったのは悲劇的なことでした）
　　It is too early to go yet.（まだ）
　　　　（出掛けるにはまだ早すぎます）
　　It is good for you to fail once in a while.（たまに）
　　　　（たまに失敗するのも君のためにはいいことさ）

第 1 部　単　文

　以上の例でも明らかなように、to ＋動詞を代行する言葉は、常に it であることがわかります。この to の使い方についてもう一つ。次の会話を見てください。

　　　Mother: Why did you buy this book?
　　　　（なぜこの本を買ったの）
　　　Son: Our teacher told us to.
　　　　（先生が買えって言ったからだよ）

　息子の言葉で、to の後に何も無いのは、Our teacher told us to buy this book. の buy this book（または buy it）はわかりきっているからで、to にそれ以下のことを説明させているのです。書く英語にはあまり出てこないかもしれませんが、ご参考までに。

［練習問題］
　(1) 日本を見に来ました。
　(2) 彼女は音楽を勉強するためにオーストリアへ行きました。
　(3) 健一さんは新しいスーツ（suit）を買うことに決めました。
　(4) わが社は社員100名を新規採用することに決めました。（「わが社は社員〈employee〉100名を雇うことに決めた」と書きます）
　(5) 彼女は夫に喜んでもらうために美容院（beauty parlor）へ行きました。
　(6) コーチはわれわれに毎日（each day）1時間走るように言い（tell）ました。
　(7) 私は耳（ear）を覆っ（cover）て騒音を防ぎました。
　(8) あの大学に入るのはたやすくありません。（「入学試験に〈entrance examination for〉合格するのは」と書きます）
　(9) この本を読めばその映画を見たも同然です。

Lesson 123

　現在進行形の形をしていながら、はっきり未来の行動を表す形があります。

　　　I am going to study very hard.
　　　　（私はこれから一生懸命勉強するつもりです）

　この形は必ず going と to ＋動詞が一緒になっています。

[例題]

　　I am going to take a walk in the park.
　　　（公園へ散歩に行ってきます）
　　We are going to sail tomorrow.　　（あす出港の予定です）
　　Are you going to answer that E-mail?
　　　（あのEメールに返事をするつもりなの）
　　Are they going to repay the money?
　　　（あの人たちはお金を返してくれるでしょうか）
　　I am going to go to see the soccer game. Do you want to <u>come along</u>?（ついて来る）
　　　（サッカーの試合を見に行くんだ。一緒に行かないか）

注　going to go は少しくどいようですが、going は別に「行く」という意味ではなく、「これから～する」という意味ですから、もう一度 go という言葉を使う必要があります。もっとも会話のときには I'm going to see the soccer game. と言ってもそうおかしくはありませんが、正確な文章にするには I am going to go to... としないと完全とは言えません。

　　Is it going to rain?　（雨が降るかしら）
　　Who is going to put the bell on the cat?
　　　（猫の首に鈴を付けるのは誰だい）

注　イソップの寓話に由来し、元は、Who will bell the cat? と言います。bell the cat は慣用句で、「進んで難局に当たる」の意味で使われます。

　　What is going to <u>happen</u> to us?（起る）
　　　（われわれはどうなるのだろう）
　　Why are you going to go to Hiroshima?
　　　（あなたはなぜ広島に行こうとしているのですか）
　　What are you going to do tonight?
　　　（今晩何をなさるつもりですか）
　　Who are you going to invite to the party?
　　　（パーティには誰を招待するつもりですか）
　　When are we going to leave?
　　　（われわれはいつ出発するのですか）
　　What are you going to <u>take along</u>?（持っていく）
　　　（何を持っていかれるのですか）

［練習問題］
(1) 私は英語をしっかりやるつもりです。
(2) あなたは演奏会場に行かれるのですか。
(3) これは立派な(fine)家になるわよ。
(4) おまえは東京へ行って大学に行く(start)んだぞ。
(5) 今晩の食事は何だろうか（「われわれは夕飯に何を持つか」と書きます）。
(6) 社長(boss)に何と言うつもりだい。
(7) 誰が賞金(prize money)を勝ち取るのだろう。
(8) なぜあなたはそんなに早く(so soon)帰ろう(leave)とするのですか。
(9) なぜあの人たちは(学校の)グラウンド(school grounds)を堀ろ(dig up)うとしているのですか。
(10) 貴社(you)はどういう理由で注文(order)をキャンセル(cancel)されるのですか。

53. 受け身の形と過去分詞

Lesson 124

ここまでは、文章の中に主体となる言葉（主語）があって、その主語に当たるもの（私、あなた、それ、山田さん、Mr. Brown など）がどうであるとか、何々したという文章ばかりでした。しかし、私たちの言いたい事、書きたい事の中には、「私は褒められた」とか「私は犬に追っかけられた」とかいう、いわゆる「受け身」の形の文章もあっていいはずです。ここにその典型的な例題を挙げてみます。

［例題］
I was praised by my teacher. （私は先生に褒められました）
I was chased by a dog. （私は犬に追っかけられました）
We are protected by the police.
　　（私たちは警察に守られています）
Japan is surrounded by the sea. （日本は海に囲まれています）

This book was written by a Chinese novelist.
　　（この本は中国の小説家によって書かれました）

　こうしてみると、受け身の文章は大体次のような構造になっていることがわかります。
　　主語＋be動詞＋動詞＋by＋行動を起こすもの
　ところがこの動詞の中には、今までに見たことのない形をしているものがあります。praised, chased, protected, surrounded は、それぞれ、praise（褒める）、chase（追う）、protect（守る）、surround（囲む）の過去形と同じようですが（事実同じものですが）、written は write（書く）の過去の wrote とは形が違います。つまり、これは過去分詞 past participle（略して P.P. または pp.）というもので、受け身の形の文を書くときに使います。（ほかにも使い道はありますが、それはこの後の *Lesson* 128―159頁で学びます）。そうすると、動詞というものは3回変化し、合計四つの形を持っていると言えるわけです。次の動詞の変化を見てください。

　　write　　　　writing　　　　wrote　　　　written
　（原形＝現在形）　（進行形）　　（過去形）　　（過去分詞）
　この四つを使って文を作ってみましょう。
　　I write books.　（私は本を書きます―原形）
　　I am writing a book.
　　　（私は今1冊の本を書いています―現在の状況）
　　I wrote several books.
　　　（私は数冊の本を書きました―過去の事実）
　　Hamlet was written by Shakespeare.
　　　（ハムレットはシェイクスピアによって書かれた―受身、過去の事実）
　過去分詞は過去形に大体似ています。動詞の過去形と過去分詞は、どんな和英辞典にも明記されていますから、苦もなく探すことができます。次に普段よく使われる過去分詞を幾つか挙げておきましょう（過去形は *Lesson* 95 参照）。

〈現在形〉	〈過去形〉	〈過去分詞〉	
ask	asked	asked	（尋ねる）
buy	bought	bought	（買う）

第1部 単文

do	did	done	（する）
fly	flew	flown	（飛ぶ）
hang	hung	hung	（つるす）
have	had	had	（持つ）
hear	heard	heard	（聞く）
make	made	made	（作る）
open	opened	opened	（開ける）
put	put	put	（置く）
read	read［red］	read［red］	（読む）
ring	rang	rung	（鳴る）
say	said	said	（言う）
see	saw	seen	（見る）
set	set	set	（据える）
sing	sang	sung	（歌う）
tell	told	told	（告げる）

では、受け身の形の文章を書いてみてください。

［練習問題］
(1) 私は審査員（judge）たちに褒められました。
(2) 私の作文（composition）は先生に褒められました。
(3) 泥棒（thief）はお巡りさんに追いかけられた。
(4) 甲府市は山に囲まれています。
(5) 『風と共に去りぬ』（*Gone with the Wind*）はマーガレット・ミッチェル（Margaret Mitchell）によって書かれました。
(6) ドアが風で（by the wind）開きました。（「風によって開けられた」と書きます）
(7) このテーブルは京子さんがセットしました。
(8) その歌は合唱団が美しく歌いました。
(9) ベルを鳴らしたのは近所のいたずらっ子（naughty children of the neighborhood）です。
(10) その家は外国人（foreigner）が買いました。
(11) みんなが楽しい思い（a good time）をしました。（「よい時がみんなによって持たれた」と書きます）
(12) この人形（doll）のドレスはお母さんが作ったのよ。

(13) そのミス (mistake) は発送部 (shipping department) によるものでした。
(14) その人工衛星 (satellite) は岡山県 (prefecture) の高校生 (senior high school students) が見ました。
(15) この報告書は専門家 (professional) が作成しました。

Lesson 125

受け身の形を使うと、動詞の後にまた動詞を使うことができます。

[例題]
I was told by my teacher to write a story.
（先生に物語りを書きなさいと言われました）
The government was asked by the people to cut taxes.
（政府は減税を国民から要求された）
You are warned to mind your own business.
（あなたは自分のことに専念するよう警告されています＝他人の事に手出しをしないよう注意しろ）
You are requested to attend the ceremony.
（式にご出席くださるようお願いいたします）
You will be called upon to make a speech. (call upon ＝ 求める)
（あなたは何か一言話すように頼まれるでしょう）

[練習問題]
(1) お勘定 (bill) をお支払いいただけませんか。(「あなたは～を支払うよう要求〈request〉されています」と書きます)
(2) 私はここへ来るようにあなたのお母さんに言われました。
(3) 市長 (mayor) は人々 (the town) に辞任する (resign) よう求め (ask) られました。
(4) その窓は空気を入れる (let the air in) ために開けたのです。
(5) 校庭 (school field) は運動会 (field day) の準備のために (in preparation for) 清掃 (clean up) されました。

第1部　単　文

Lesson 126

受け身の質問の形は次のようにして作ります。

[例題]
　Were you praised by the teacher?　（先生に褒められましたか）
　Was this vase broken by our cat?
　　（この花瓶はうちの猫が壊したのかな）
　Are you looked after by your aunt? (look after ＝世話をする)
　　（あなたは伯母さんに世話になっているのですか）
　Why were you scolded by your father?
　　（あなたはなぜお父さんに叱られたのですか）
　How were you robbed of your bag? (rob of... ＝〜を強奪する)
　　（どのようにしてバッグを奪われたのですか）
　Where were you robbed?　　（強盗に会ったのはどこですか）
　What were you asked to say?　（何と言えと頼まれたのですか）
　Why were you asked to say that?
　　（なぜ君はそんなことを言えと頼まれたのですか）

[練習問題]
　(1) 球に当た（hit）ったのかい。
　(2) 浩二は伯父さんにテレビゲームをもらった（与える＝give）んだってね。
　(3) 球に当たったのは誰だい。
　(4) 浩二は伯父さんから何をもらったの。
　(5) 彼は社長に誤解されている（misunderstand → misunderstood）のかな。
　(6) 君は社長に何をしろと言われたのだい。
　(7) なぜ会計係（treasurer）は監査役（auditor）に去年の帳簿（books）を見せるよう命じ（order）られたのかな。
　(8) その手紙はいつ投かんされたのですか。
　(9) あなたはその手紙をなぜ書留（register）にしなかったの。
　(10) どこでその絵はがきを出したの。

書く英語・基礎編

Lesson 127

受け身の進行形というのもあります。一見変わった感じに取られるかもしれませんが、主語＋be動詞＋being＋pp. となります。

[例題]
　I am being watched. 　（私は〈誰かに〉監視されています）
　You are being followed by a man.
　　（あなたは男の人に跡をつけられていますよ）
　Your order is being carefully and promptly <u>taken care of.</u>（take care of ＝世話をする、面倒をみる）
　　（あなた様のご注文は慎重かつ迅速に対応しております）

　注　carefully (and promptly) の位置に注意してください。こういう言葉は最後に置くこともできますが、過去分詞の前に置いた方がよいとされています。

　Are you being waited on?（Is anyone waiting on you? の意味）
　　（誰か〈あなたを〉応対していますか――「あなた」を主語にした丁寧な言い方。店やレストランでよく聞かれる言葉）
　Is this report being studied?
　　（この報告書を誰か検討していますか）
　Is this store being decorated for Christmas?
　　（この店はクリスマスに向けて飾り付けしているのですか）

[練習問題]
　(1) うちの車は今運転手 (driver, chauffeur) が洗っています。
　(2) 郵便物 (the mail) は今事務員 (clerk) が配布 (distribute) 中です。
　(3) その部屋は会議を行うために (for a conference) 準備をして (prepare) おります。
　(4) あなたのプリンターを今修理して (repair) います。
　(5) 患者 (patient) は今手術中 (operate on) ですか。
　(6) この注文は誰か受けている (carry out) のかな。
　(7) 私の原稿 (manuscript) のゲラ (galley proof) を誰か校正して (proofread) いますか。

54. 過去分詞も修飾に使われる

Lesson 128

　だいぶ前に、You are hungry. とか You are rich. といった文を学びました（*Lesson* 11, 12 参照）。この hungry, rich などが形容詞であることは、いまさら言うまでもありませんが、これらの形容詞は、たとえて言えば、生れつき形容詞です。これに対し、動詞から変化したいわば「作られた」形容詞があります。これは受け身のところで学んだ（*Lesson* 124 参照）動詞の過去分詞が受け持っています。次の **a.** と **b.** の文を比較しください。

- **a.** The glass was broken by the cat.
  （このコップは猫が割りました）
- **b.** Look out for broken glass.（気をつける、見張る）
  （ガラスの破片に気をつけなさいよ）
- **a.** This letter was written in English.
  （この手紙は英語で書いてあります）
- **b.** The letter written in English is mine.（私のもの）
  （英語で書いてある手紙は私のです）
- **a.** He is a tired man.
  （彼は疲れ果てた人間です）
- **b.** He is tired.
  （彼は疲れています）
- **a.** This apple was baked today.
  （このリンゴはきょう焼いたものです）
- **b.** This is a baked apple.
  （これは焼きリンゴです）

例題をもう少し挙げてみましょう。

[例題]
　　He is gone.　　　　　　　　（彼はもう行ってしまいました）
　　I am done.＝I am finished.　（私はもう終りです）
　　You are mistaken.　　　　　（あなたは間違っている）
　　I was hit by a ball.　　　　 （私は球を当てられた）
　　a widowed mother　　　　　（未亡人になった母親）

a soiled shirt　　　　　（汚れた〈染みの付いた〉シャツ）
This is an insured parcel.　（これは保険付きの小包です）

[練習問題]
(1) 私たちは結婚しています（marry → married）。
(2) 私は間違っているでしょうか。
(3) 私は先生に会いに行きましたが先生はもういません（gone）でした。
(4) 私はきょう30キロ（kilometer）歩きました。とても疲れています。
(5) あなたの眼は疲れているように見えます（look）。
(6) この汚れ（汚れる、染みが付く＝stain, spot）たシャツをクリーニング屋（laundry）に出して（send）ください。
(7) 犬小屋にペンキを塗って（paint）くれましたか。うん、塗ったよ。
(8) あなたは私を知っていますか。ええ、あなたは有名（well-known）ですもの。
(9) 私は新車が欲しかったのに、あなたは中古車（used one＝car）を買ってきたのね。

　注　ここの one は、一つという意味ではなく、同種類の名詞の反復を避ける代名詞として用いられています。

(10) 彼のやつれきった顔（tired old face）を見るのはつらかっ（pathetic）た。

55. get の働き

Lesson 129

　We are married. は、「私たちは結婚している」つまり「夫婦である」という意味になりすが、「結婚する」は get married で、「私たちは近いうちに結婚します」は、We are going to get married soon. または We are getting married soon. のように言います。get という単語は「取る」「得る」という意味のほかに、こうして「〜になる」つまり

become のような意味を持っていて、非常によく使われます。

  Get me a knife.　　　　　（ナイフを持ってきてよ）

 注　knife は柄の付いた刃物を指します。ただし、食卓で使うのは table knife、料理に使うのは kitchen knife と言います。cutlery という言葉もありますが、これは刃物の総称です。

  Get some stamps.　　　　（切手を何枚か買ってきてね）
  Don't get nervous.　　　　（神経質になるな→上がるなよ）
  I am getting sleepy.　　　（眠くなってきた）

上の2例に見る get は、目的を伴う動詞（他動詞と呼びます）で、下の2例の get は目的語を伴わない動詞（自動詞）です。ここでは自動詞としての get の使い方を学びます。

[例題]
  It is getting dark.　　　　（暗くなってきました）
  I worked a long time and I got tired.
   （長時間働いたので疲れました）
  It is bad to get there late.　（そこへ遅れて行くのはよくないよ）
  You can go alone, but don't get lost.
   （一人で行ってもいいけれど道に迷わないでね）
  It will soon be my turn to sing and I am getting nervous.
   （もうすぐ私の歌う番なので私の胸はドキドキしています）

[練習問題]
 (1) 寒くなりましたね。
 (2) 君はきのう一日中一生懸命勉強したね。疲れましたね。
 (3) 家に帰る (get home) のはいいね。
 (4) 本当のことを言うけれど怒る (怒る＝ get angry) ないでね。
 (5) けさ朝食を抜い (抜く＝ skip) た。お腹がとてもすいてきた。
 (6) きのう確かに (definitely) あなたの手紙を受け取ったが、どこかへ (somewhere) いってしまった (be gone) ようだ。
 (7) 彼は食べ過ぎて具合が悪くなってしまった。
 (8) 暗くなってきたわ。私は淋しいの。
 (9) 元気になって (get well) ください。
 (10) 出ていけ。

Lesson 130

being＋形容詞や getting＋形容詞の形は、主語として使うことができます。

[例題]
　　Being happy is better than getting rich.
　　　　（金持ちになるよりは幸福である方がいいです）
　　Being small is convenient sometimes.
　　　　（小さいのも時には便利だ）
　　Getting married is a lot of trouble.
　　　　（結婚するのも楽じゃないよ）
　　Getting ready for the show is half the fun.
　　　　（劇の準備をするのにも面白さが半分ある＝結構楽しい）

[練習問題]
　（1）有名であるより健康の方がいいです。
　（2）背の高いのは時には不便 (inconvenient) だ。
　（3）離陸 (getting off) と着陸 (getting on, landing) には相当の (some) 技術を要する (require skill)。

56. 動詞＋ing の形容詞

Lesson 131

動詞＋ing の形容詞もあります。

[例題]
　　It is an interesting book.　（それは面白い本です）
　　His story was thrilling.　（彼の話はとてもスリルがあった）
　　This is a <u>going</u> enterprise.（活動中の、盛んな）
　　　　（これはブームに乗っている企業です）
　ただし、この形の動詞は、必ずしも形容詞になるわけではありませんから、勝手に動詞に ing を付けて形容詞になったと早合点しないで

第1部　単　文

ください。interesting とか thrilling は、大体がこのままで既に形容詞なのです。不安なときは辞書で確かめることが大切です。

[練習問題]
(1) それは胸の悪くなる（sickening）ような光景（scene, sight）でした。
(2) あいつはむかつく（disgusting）やつだ。
(3) 彼女のほほ笑みは心の武装を解く（disarming）力があります。（「彼女のほほ笑みは武装を解く」と書きます）
(4) 熱湯（boiling water）に触れないでください。
(5) 君の言っていること（story）は人を迷わせる（misleading）。
(6) それは曲がりくねった（winding）道です。

Lesson 132

「～をしに行く」は go ＋動詞＋ ing の形を使います。

[例題]
I want to go fishing.　　（魚釣りに行きたいな）
I am going to go shopping.　（私はこれから買物に出掛けます）

[練習問題]
(1) 狩り（hunting）に行きたくないかい。
(2) 彼女たちは泳ぎに行きました。
(3) われわれのクラスは先週キャンプ（camp）に行きました。
(4) 君たちは去年山登り（mountain climbing）に行ったかい。
(5) お母さんは買物に行きました。

go と一緒になる形容詞は「生まれつき」の形容詞でもかまわないことをちょっと付け加えておきます。

[例題]
Don't go hungry too long.
　　（あまり長いこと空腹にしていてはいけません）
He went mad.　（彼は気が狂ったのさ）

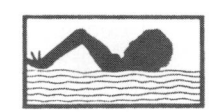

163

getと「生まれつき」の形容詞の書き方は既に習いました（*Lesson 130*参照）。getと動詞＋ingは一緒になって、大体go＋動詞＋ingと同じような形になります。

[例題]
　Get going.　（さあ始めよう）
　The story got very exciting at the end.
　　（物語りは終わりになってすごく盛り上がりました）

Lesson 133

「あなたが歩いているのを見た」というような場合の「歩いている」も、この形を使ってI saw you walking.のように書くことができます。

[例題]
　I saw you playing tennis yesterday.
　　（あなたがきのうテニスしているのを見ました）
　Did you see me swimming yesterday?
　　（きのう僕が泳いでいるのを見ましたか）
　I heard you talking on the telephone.
　　（あなたが電話で話しているのを聞きました）
　I heard you practicing your speech.
　　（君が演説の練習をしているのを聞いたよ）
以上の形は大体「見る」とか「聞く」とかに限られています。

[練習問題]
（1）あなたのお母さんが買物しているのを見ました。
（2）あなたのお父さんと私の父（mine）が碁を打っている（play *go*）のを見ました。

　注　碁または囲碁は、*go, I-go*と書きますが、go「行く」という単語と混同しやすいので要注意です。例に示してあるように、イタリック体にするかアンダーラインを引くのがよいでしょう。

（3）引き逃げの車（hit-and-run car）があっちへ（that way）行くのを私は見ました。

(4) あなたが来るのが聞こえました。
(5) 君は彼がカンニングしているのを本当に (really) 見たのか。

57. see, hear, help, let, ask が to を省く場合

Lesson 134

　前出の「見る」「聞く」の動詞は、重なった行動の場合、to を必要としないのが普通です。ただし、この see, hear が他動詞である場合に限ります。つまり「私はあなたがその子供を救うのを見ました」といった、「見る」という行動には「何を」「誰が」というはっきりした目的がないと省けません。上の日本文を英語にすると I saw you save that child. となります。こう言うと、「私」は、あなたの善行の目撃者になるわけです。では、次の **a.** と **b.** の文はどこが違うか疑問が生じるでしょう。

　　a. I saw you save that child.
　　b. I saw you saving that child.

　結論を言えば、大して違いはないのですが、細かく区別すれば、**a.** は、「あなたがその子供を救う」という行動を見たという意味であり、**b.** は、「救っているあなた」を見たということになります。つまり **a.** では save というところが焦点であり、**b.** では you が大事であると言えます。もう少し例題を見てください。

[例題]
　I heard you sing last night.
　　（昨夜あなたの歌うのを聞きました）
　I saw McGwire hit that home run.
　　（マクガイアーがあのホームランを打つのを私は見ました）
　I want to see you jump over that fence.
　　（君があの垣根を跳び超えるのを見たい ── 挑戦する言葉）
　Did you see me kick that ball?
　　（君は僕があの球をけるのを見たかい）
　Didn't you hear me say so?
　　（私がそう言うのをあなたは聞かなかったの）

see, hear のほかに help（助ける）、let（させる）、make（させる）、ask（お願いする）なども to を略すことがあります。

Help her carry it.（彼女がそれを運ぶのを手伝ってやりなさい）
Help me <u>enjoy</u> this chicken.（味わう）
（このチキン〈鳥肉〉を食べるのを手伝ってよ＝一緒にこのチキンを味わおう）
You helped me see my faults.
（君のおかげで自分の欠点がよくわかった）
I cannot help you solve that problem.
（その問題をあなたが解決するのに手助けはできません）
Let me do it.　　　　（私にそれをやらせてください）
Let us go fishing.　　（釣りに行こう）
Don't let me forget it.　（私にそれを忘れさせないでね）
He made me eat my words.
（彼は私に私の言葉を食べさせた〈直訳〉＝恥をかかせた）
I asked him go away.　（彼にあっちへ行ってもらいました）

上の例題の中で一番弱い言葉は ask で、I asked him to go away. のように書くこともできます。またその方がよいように思います。次の練習問題では ask の場合のみ to があってもよいことにします。

[練習問題]
(1) きのうあなたの演説を聞きました。（「あなたが話すのを聞いた」と書きます）
(2) 私は山中さん（Miss）がオリンピックプール（Olympic swimming pool）で世界記録（world record）を破る（break）のを見ました。
(3) ここからあの岩（rock）まで跳んで見せてよ。
(4) 君は僕が1等賞（first prize）を取るのを見なかったの。
(5) それを運ぶのを手伝いましょう。
(6) あなたのスーツケース（suitcase）を私に持たせ（carry）てください。

注　suitcase は四角い旅行カバンで、特にスーツが入るようになっているもの。ついでですが、手荷物はアメリカでは baggage と言い、イギリスでは luggage と言います。

(7) あなたは私の長所 (good points, merits) を見いだしてくれました。
(8) 彼女のところへ行ってお礼 (thanks) を言い (express) ましょう。
(9) 覚えていろ！（「私はあなたにそれを忘れさせないだろう」と書きます）
(10) あの人にたばこを吸うのをやめるようお願いしてください。
(11) 私の質問に答えて (answer) くださるようお願いします。

58. let us... は便利な形

Lesson 135

　let's (let us) の形はよく使われる非常に便利な表現なので、これはもう一度例題を見て練習していただきましょう。

［例題］
　　Let's go.　　　　　　　（さあ行こう）
　　Let's not go.　　　　　（行くのはよそうよ）
　　Let's study together.　（一緒に勉強しよう）
　　Let's not quarrel over this matter.
　　　（このことで言い争うのはよしましょう）
　　Let's stop here for the night.（今夜はここに泊りましょう）
　　Let's go to Yurakucho and see a show.
　　　（有楽町へ行ってショーを見よう）

［練習問題］
(1) さあ食べよう。（「さあ」は書く必要はありません）
(2) ダイエット (diet) しましょう。
(3) 急ごう (hurry)。
(4) 過去 (the past) を忘れて前進し (go forward) ましょう。
(5) 走るのはよそうよ。
(6) 婚約 (engaged) しよう。

(7) この雨の中 (in this rain) を出掛けるのはやめた方がよさそうだね。
(8) 静かにしていましょう。

59. 主語＋have (has)＋過去分詞は現在完了形の文

Lesson 136

日本語では「電車が来た」と言っても、それは「電車が見える」と言っているのか「もう着いた」のか「電車は来たけれど待ち人は来なかった」というのか、はっきりしません。その時の事情によります。英語ではその点はっきりしています。

(1) 列車が来た＝待っていた列車が来る。
　　The train is coming. ＝ Here comes the train.
　　　　　　　　　　　　＝ Here she comes.

とにかく the train がこっちへ来る、来つつある、ということが明らかです。また、列車が着いたのは過去の事実であった場合は、英語では次のように書き表します。

(2) 列車が来た。(列車だけが来た)
　　The train came. (Only the train came.)
(3) 列車が来た＝今着いたところだ。
　　The train has arrived. または The train has just arrived.

この arrived は arrive (着く) の過去分詞です。このように主語＋have (has)＋過去分詞の形を、現在完了形 (present perfect) と言います。今ちょうどある行動が終わったことを意味します。

日本語では、単純な過去とこの現在完了との区別があいまいですが、英語ではこのようにはっきり区別します。ですから、書くときには (もちろん会話でも)、述べようとする事実が、単なる過去であるのか、前から続いていた行動が今 (すなわち書いている瞬間とか話している瞬間に) 完了したものであるかどうか、よく考えなければなりません。言い換えれば、そう区別することによって、述べていることとか、尋ねていることの意味がはっきりして、極めて好都合であると言えます。

これはまた、日本語から外国語へ転換するときの、一つの大きな楽しみとも言えるでしょう。以下の **a.** と **b.** の文を比較してください。

  a. I walked two kilometers.
   （私は2キロ歩きました）
  b. I have walked two kilometers.
   （私はこれで2キロ歩きました）
  a. I spent a week in Kyoto.
   （私は京都で1週間過ごしました）
  b. I have spent a week in Kyoto.
   （私は〈ちょうど〉1週間京都で過ごしました）
  a. I finished that book last week.
   （私はあの本を先週読み終えました）
  b. I have finished this book.
   （私はこの本を〈ちょうど〉読んでしまいました）
  a. Did you eat supper?
   （晩ご飯を食べましたか）
  b. Have you eaten supper?
   （晩ご飯はもう済みましたか）

今度は次の **a.** と **b.** の文の相違を比較してみてください。
 (1) **a.** I saw Princess Masako.
   b. I have seen Princess Masako!
 (2) **a.** I passed the examination.
   b. I have passed the examination!
 (3) **a.** He hit a home run today.
   b. He has hit a home run!

(1) **a.** は、「私は雅子妃を見ました」という過去の事実を述べています。(1) **b.** は、今まで一目でもいいから見たいと思っていた雅子妃を「ついに見ました」という感激が込められています。

(2) **a.** は、「試験に合格しました」というので、これも感激には違いありませんが、試験にパスしたのは時間的に言って大分前のことです。しかし、(2) **b.** は、今発表を見て友だちと喜び合っているところです。

(3) **a.** は、記録になった一つの事実を報告しているのに対して、(3) **b.** の方は、ファンが手をたたいて喜んでいる間に、彼が今三塁を回ってコーチと握手してホームに向っている光景を描いています。

なお現在完了形は、「私はそういう経験がある」という意味を表すこともあります。
  I have seen Kabuki.　（私は歌舞伎を見たことがあります）
この例は何々を見たことがあるか、という質問に対する答えの場合に多く使われます。
  I have eaten frogs.　（私はカエルを食べたことがあります）
「どこどこへ行ったことがある」は、have been to を使います。
  I have been to Hawaii.（ハワイへ行ったことがあります）
  My parents have been to Hong Kong.
   （私の両親は香港に行ったことがあります）
これを否定の形にするには not か never を使います。
  I have not been to Mr. Young's.
   （ヤングさんの家へ行ったことはありません）

注　人名に「'」を付けたものは、その人の家という意味です。

  I have <u>never</u> been to Lake Towada.（決して）
   （私は十和田湖へ行ったことがありません）

注　not に比較して never はやや強い、ということが言えるでしょう。そして、現在完了形の否定文としては、not よりも never の方がよく使われるということも付け加えておきます。

逆に「どこどこへ行ったことがありますか」と尋ねるときは、Have you ever been to...? と ever（かつて）を入れます。

［例題］
 Have you ever been to Hokkaido?
  （あなたは北海道へ行ったことがありますか）
 Have you ever been to Alaska?
  （アラスカへ行ったことがありますか）
 Have Mr. and Mrs. Goto ever been to see a musical?
  （後藤さん夫妻はミュージカルを見にいったことがあるかしら）
 Has Judy ever been to Nagasaki?
  （ジュデイさんは長崎へ行ったことがありますか）

次に Have you ever been in...? という形があります。in の後には大体地名や場所が続くわけですが、これは have been to に比べ、一度ならずそこに行ったことがあるか、といった感じを表しています。

 a. Have you ever been to Paris?
 b. Have you ever been in Paris?

a. の方は過去にパリに行ったことがあるかという意味で、**b.** の方は一度ないし数回パリに行った経験があるか、といった質問です。

山などには to や in はちょっと当てはまりません。up でしょう。

［例題］
 Have you ever been up Mt. Fuji?
  （富士山に登ったことがありますか）

そのほか inside（中に）、through（通り抜けて）、across（横断して）といろいろあります。

 Have you ever been inside an aquarium?
  （水族館の中に入ってみたことがありますか）
 Have you ever been through the tunnel from France to Italy?
  （フランスからイタリーへ行くトンネルを通り抜けたことがありますか）
 Have you ever been across the Indian Ocean?
  （インド洋を横断したことがありますか）

ただし、上記の二つの例は、have been の形よりも、Have you ever driven through the tunnel from France to Italy?（drive through ＝ 車で通り抜ける）、Have you ever sailed across the Indian Ocean?（sail across ＝ 船で渡る）、と言った方が適切なので、ここでは have been to と have been in を主に学んだことにして、次の練習に移ってください。

［練習問題］
 (1) ついに (at last) その日 (the day) が来ました (has arrived)。
 (2) 僕はこれでちょうど (exactly) 2時間勉強したことになる。
 (3) 私たちはきょうでロンドンに1カ月いたことになります。
  （「きょうで」は書く必要はありません）
 (4) 私はたった今 (just) 風呂から上が (come out of) ったところです。

(5) 私は夕飯を済ませ（済む＝finish）たばかりです。
(6) 私たちは七面鳥の丸焼き（roast turkey）を食べ（食べる＝have）たばかりです。
(7) あなたはボクシングの試合を見たことがありますか。
(8) 洋さんはプロのテニスの試合（professional tennis match）を観戦したことがありますか。
(9) うちの山田会長（chairman of our company）は南米に行ってきました。
(10) あなたたちはニューヨークへ行ったことがありますか。
(11) 私たちはニューヨークに住んでいたことがあります。
(12) 僕らはこれまで一度もそんな所（such a place）へ行ったことはありません。

Lesson 137

次は主語＋have been＋形容詞の形です。I am sick.（私は具合が悪いです）を現在完了形に直してみましょう。am は be をちょっと変えた形ですから、過去分詞は been です。そこで I have been sick.（私はずっと具合が悪かったのです）のようになります。

[例題]
 I have been very well.　　　（ずっと元気でした）
 I have been very busy.　　（これまでとても忙しかったです）
 Have you been <u>away</u>?（離れて）
 　（どこかに行ってらしたのですか）
 Mr. and Mrs. Moore have been <u>quite</u> happy.（very）
 　（ムーア夫妻はこれまでとても幸福でした）

同じように、They have been good friends.（彼女たち〈彼ら〉はずっといい友だちでした）という形も書けるはずです。

 I have been a fool.　　　　　（私はばかだった）
 You have been a good student.（君はよくできる学生だった）
 This has been a good season.　（これまでいい季節でした）

［練習問題］
(1) 私たちはずっと健康でした。
(2) お忙しかったですか。
(3) ここのところずっと寒さが続きました。
(4) 彼らはライバル (rival) だったのに、今はいい友だちになってしまいました。
(5) あなたは立派な公務員 (civil servant) でした。
(6) お宅はうちのよいお得意様 (customer) でした。
(7) 今年はとても景気の悪い (bad) 年でした。
(8) あなたの町の大山会社 (Oyama Company) は信頼できる (reliable) 会社だったでしょうか。

Lesson 138

現在完了形にも受け身の形があることは言うまでもありません。

［例題］
I have been scolded by the teacher.
　　(僕は先生に叱られていました)
You have been promoted. Congratulations!
　　(君は昇格したよ。おめでとう)

注　「おめでとう」は、必ず congratulations! と複数にするのが習慣です。

The enemy has been defeated.
　　(敵は負けました)
Have you been short-changed? (釣り銭を少なく払う)
　　(お釣りが足りませんでしたか)

［練習問題］
(1) 私は負け (負かす＝beat→過去分詞は beaten) ました。
(2) あなたは奨学金 (scholarship) を授与され (award) ました。
(3) 彼の店は改装され (renovate) ました。
(4) あなたは傷を負い (hurt→過去分詞も hurt) ましたか。

書く英語・基礎編

60. 最上級の作り方と使い方

Lesson 139

　先に比較級 (*Lesson* 108 〜 112 参照) を習いましたが、最上級はまだでした。最上級というのは、つまり「君はクラス中で一番勉強ができる」とか、「東京は日本で一番大きな都会である」とか、何でも最上であることを述べるものです。例題で学ぶことにしましょう。まず **a.** と **b.** と **c.** の文を比較してください。

[例題]
- **a.** Honshu is a big island.　　　　　（本州は大きな島です）
- **b.** It is bigger than Hokkaido.　　　（北海道より大きいです）
- **c.** It is the biggest island in Japan.　（日本で最大の島です）
- **a.** Yoshio is athletic.
　　　（良夫はスポーツマンタイプです）
- **b.** He is more athletic than Mikio.
　　　（彼は幹男よりスポーツマンタイプです）
- **c.** He is the most athletic student in his class.
　　　（彼はクラスで一番のスポーツマンです）

上の二つの例題が示していることは以下のことです。
1. 比較級の言葉には二通りある。
　　big　　　→ bigger　　　　→ biggest
　　athletic　→ more athletic　→ most athletic
2. 最上級には the が付く (ただしすべてではありません)。

　そこで、どの単語が er, est と変化し、どの単語が more, most を取るかということですが、これは比較級で述べたことと全く同じです。

Aグループ：

dark → darker → darkest	far → farther → farthest
fast → faster → fastest	nice → nicer → nicest
small → smaller → smallest	tall → taller → tallest

Bグループ：

bad → worse → worst　　　good → better → best

> **Cグループ:**
>
> beautiful → more beautiful → most beautiful
> diligent → more diligent → most diligent
> efficient → more efficient → most efficient

比較級のとき than の後に「〜より」という比較の対象があったように、最上級のときは「〜の中で最も」のように言うのは自然なことです。最上級は次のように言い表します。

 a. Mt. Fuji is the most beautiful (mountain) of all (the mountains) in Japan.
  (富士山は日本の山の中で最も美しい山です)

山を二度繰り返す煩わしさを避けるために、どちらかを取り去ると次のようになります。

 b. Mt. Fuji is the most beautiful mountain of all in Japan.
 c. Mt. Fuji is the most beautiful of all the mountains in Japan.

b. の of all を取っても意味はよくわかります。次のような表現法もあります。

 Yoshio is the most athletic boy <u>among</u> his friends.(〜の中で)
 (良夫は友だちの中で一番運動が得意な少年です)

行動を形容する言葉、例えば、My father walks slowly. の slowly のような副詞にも比較する形があることは既に学びました (*Lesson* 108, 110 参照)。

 Walk slowly. (ゆっくり歩いてください)
 Walk more slowly. (もっとゆっくり歩いてください)

さてそれでは、most slowly などと言えるかどうかという問題ですが、「私の父は家中で一番よく眠ります」というような場合は、My father sleeps the most in our family. または My father sleeps the longest in our family. となりますが、これは言い換えれば、My father sleeps longer than <u>anyone else</u> in our family. (ほかの誰よりも) ともなるわけです。そこで副詞の最上級は、実際には使わなくても済むものだということが言えます。従って、練習問題に副詞の最上級が出てきたら、比較級に直してもよいということにしておきましょう。

［練習問題］
(1) 中国は世界で (in the world) 最も人口の多い (most populated) 国です。
(2) わが母校 (alma mater) は日本最古 (old) の大学 (college) です。

注　または Alma Mater。ラテン語で「養う母」「親愛なる母」といった意味です。

(3) このチーズが一番おいしい (good)。
(4) 私はこの部屋がどの部屋よりも (of all the rooms) 一番好きです。
(5) この辞書が一番いいです。
(6) 彼女は当事務所で最も有能な (efficient) 社員 (staff member) です。
(7) 御社の製品 (product) が最上です。
(8) ソーサさん (Mr. Sosa) はナショナル・リーグ (the National League) の最優秀選手 (most valuable player) です。

Lesson 140

　比較級、最上級と言っても、これまでは増える方の例だけでしたが、世の中には減ることもありますから、ここで減る方の練習もしましょう。more の反対は、less で most の反対は least です。

［例題］
　History is less difficult than geography.
　　（歴史は地理ほど難しくありません）
　History is the least difficult subject at school.
　　（学校で一番難しくない科目は歴史です）
　Eat less; chew more.
　　（食べる量を減らすこと。もっとよくかむこと）
　That is the least of all the troubles.
　　（面倒な事の中でもこれは最低です）

　こうしてみると、less だの least を使わなくても、それぞれ more, most などで用が足りる場合の多いことがわかります。例えば、上の

例も次のように書き換えることができます。
　　　History is easier than geography.
　　　History is the easiest subject at school.
　ただ、Eat less; chew more. とか That is the least of all the troubles. などは、それぞれ less や least を強調しているので、これはこのままにしておいた方がよいでしょう。なお、Eat less; chew more. の less, more は副詞の比較級です。eat, chew という動詞を修飾しているからです。

[練習問題]
(1) 遊ぶのを減らしてもっと働きなさい。
(2) 僕は君より食べる量が少ないよ。
(3) 船で行く (going by boat) 方が飛行機で行くよりお金が掛かりません。
(4) 歩く (on foot) のが一番お金の掛からない交通手段 (means of transportation) です。
(5) 飲み過ぎ (drinking too much, over-drinking) の方が食べ過ぎに比べて害が (害がある＝harmful) 少ない。

Lesson 141

more, most, less, least は、そのまま名詞に直結することもあります。

[例題]
　This hall holds more people than that hall. (収容する)
　　　(このホールはあのホールよりもたくさんの人を収容します)
　This movie, of all the movies, has been shown at most theaters this year. (または Of all the movies, this movie has been shown at most theaters this year.)
　　　(あらゆる映画の中で、この映画は、今年ほとんどの映画館で上映されました)
大多数を意味する場合の most は、the を伴いません。
　This cup holds less water than that cup.
　　　(このカップはあのカップほど水が入りません)
　This cup holds the least water of all the cups on the table.

177

（テーブルの上にあるカップの中ではこのカップが一番容量が
　　　少ないです）

[練習問題]
　(1) この学校 (we) はどの学校よりも (any other school) 多くの
　　　飛行士 (pilot) を訓練します (train)。
　(2) この町には工場 (factory → factories と複数にする) が県下
　　　で (in this prefecture) 一番多くあります。
　(3) 狐は猿よりも知能 (intelligent) が低い (less)。
　(4) この部屋が一番収容人数 (seating capacity) が少ないです。
　(5) この車のガソリン (gasoline) 消費量 (use) は外国車 (foreign
　　　car) の中で最少です。(「この車は外国車の中で最も少量のガ
　　　ソリンを消費する」と書きます)

61. have to と had to の使い方

Lesson 142

　must の代わりに have to を使うこともできます (*Lesson* 104 参照)。
　　I must go now. → I have to go now.
　意味は全く同じです。同じことなら、なぜ二通りの言い方があるか
というと、must には変化する形が無いからです (must は can, will,
shall などと同じく助動詞と呼ばれます)。一方、can, will, shall には
あります (これは後で学びます)。そこで、過去、未来、完了を表す場
合は have to を代用し、過去の「～しなければならなかった」と言う
ときには、have to の過去形の had to を用います。

　[例題]
　　I have to go to the barber (または barbershop) today.
　　　（きょうは床屋に行かなければならないんだ）
　　I had to see my friend off this afternoon.
　　　（きょうの午後は友だちを見送りにいかなければならなかった
　　　の —— これは言い訳）
　　I have to stop smoking.
　　　（僕はたばこをやめなければならない）

第1部　単文

Mayumi has to see the doctor every day.
　　（真由美は毎日お医者さんに診てもらわなければなりません）
Mr. Grew had to return home suddenly.
　　（グルーさんは急に帰宅しなければなりませんでした）
have の過去分詞は had で、have to を現在完了形にするには have had to とします。
I have had to stay home.
　　（今までうちにいなければなりませんでした）
You have had to study so hard.
　　（あなたはこれまで一生懸命勉強しなければならなかった ─ でも合格してよかったという気持）
Mr. Goodman has had to stay in bed for ten days.
　　（グッドマンさんは10日間ずっとベッドで寝ていなければなりませんでした）

will, shall, be going to などを have to と一緒に使って、未来形や主体となるものの意志を表すこともできます。
I shall have to leave soon.
　　（もうすぐおいとましなければなりません）
I will have to punish you.
　　（おまえを罰しなければならない）
I am going to have to leave you.
　　（あなたとお別れしなければなりません）
Why are you going to have to leave me?
　　（なぜ私と別れなければならないのですか）
What will you have to do tonight?
　　（今夜何かしなければならないことがありますか）
Whom will you have to fire next?
　　（この次は誰を解雇しなければならないのですか）
I will not have to fire anyone.
　　（誰も首にする必要はありません）
Where will they have to go now?
　　（彼ら〈彼女たち〉は今どこへ行かなければならないのだろう）
have to を使っての質問には do を用います。
Do you have to go so soon?

(そんなに早く出掛けなければいけないのですか)
Do I have to go to the barbershop today?
　　(きょう床屋にいかなきゃいけないのかな)
Does Mr. Yamada have to resign?
　　(山田さんは辞職しなければならないのですか)
Why does he have to resign?
　　(なぜ彼は辞めなければならないのだい)

　have to の進行形、つまり「今〜しなければならない」「〜していなければならない」は、be動詞＋having to の形を使います。
　I am having to <u>mind</u> the baby today.（世話をする）
　　(きょうは赤ちゃんのお守りをしなければならないの)
　I am having to work on this.
　　(私はこれをやっていなくてはなりません)

　以上の形は、書く英語にはさほど使われないと思いますが、人の言葉を引用する文章などには出てきますから、覚えておきましょう。

［練習問題］
(1) きょうは銀行 (bank) に行かなくてはなりません。
(2) 酒を飲む (drinking) のをやめなくちゃならない。
(3) うちのお手伝いさん (helper) は毎日歯医者 (dentist) に通わなければなりません。
(4) 山本さん (Mrs.) は大急ぎで (in a hurry) 駅へ行かなければなりませんでした。
(5) 私は風邪を引いているので (have a cold) 家にいなければなりません。
(6) あなたはこれまで随分 (so much) 苦労し (suffer, struggle) なければなりませんでしたね。
(7) 私はあす新住所 (new address) の登録 (register) に区役所 (ward office) へ行かなければなりません。
(8) お尻をたたきます (spank) よ。
(9) この家を売らなければならないでしょうね。
(10) あなたはあすの朝は何をしなければならないの。
(11) 次は誰を見つけ (find, locate) なければならないのですか。
(12) 来週はどちらに出掛けにならなければならないのですか。

(13) 今、薬を飲まないといけませんか。
(14) トーマス氏 (Mr. Thomas) はこれに署名し (sign) なければなりませんか。
(15) なぜですか。(「なぜ〈彼が〉しなければならないのか」と書きます)

62. may と might の使い方

Lesson 143

　助動詞に may という言葉があります。これは「〜してもよい」とか「〜かもしれない」という大体二つの意味を持っています。その使い分けは前後の関係とか、誰が誰のことを言っているかによって判断しなければなりません。従って、may を使って文章を書くときは、読む人が迷うことのないように注意して書いてください。

[例題]
　You may go now.　（もう行ってもいいですよ）
　She may go to sing karaoke.
　　（〈娘が〉カラオケに行ってもいいよ ─ お父さんがお母さんに娘がカラオケに行ってもよいと伝えています）
　The guest may stay for dinner.
　　（お客は夕飯を食べていくつもりかもしれないよ ─ 夫が奥さんに耳打ちしています）
　I may be late tonight.　（今夜は遅くなるかもしれないよ）
次は may を使っての疑問文です。
　May Taro watch television until ten o'clock?
　　（太郎は10時までテレビを見ててもいいですか ─ お母さんがお父さんに尋ねています）
　Might (Will) you be late tonight?
　　（あなたは今晩遅くなりそうですか ─ もちろん奥さんが尋ねています）
ただし、この形は書く英語にも会話の英語にも使われません。Will you be late tonight? と言います。may not という形もあります。

The guest may or may not stay for supper.
　　　（お客は夕飯を食べていくつもりかどうかわからないよ）
　　Taro may not watch television until ten o'clock.
　　　（太郎は10時になるまでテレビを見てはいけません）

［練習問題］
　(1) 入って（入る＝come in）もいいですか。入ってもいいよ。
　(2) あなたの町に来週行く（come）かもしれません。
　(3) 私はあなたに会いに行くかもしれません。
　(4) 私の家に泊まって（stay at）もかまいませんよ。
　(5) 私の娘の梨沙を外出（go out）させてもいいですか。
　(6) 福島さん（Mr.）は来るかもしれないし来ないかもしれない。
　(7) 雨が降る（rain＝動詞）かもしれない。私の傘を持ってっていいわよ。
　(8) わが社は他社（other companies, our competitors＝競争相手）を今年中（during the year）に追い超す（overtake）でしょう。

Lesson 144

　might は may の過去の形ですが、「～してもよい」という意味の may の過去ではなく、「～かもしれない」の方の過去です。しかも、大体 may という語は漠然としたことを表しているので、might の方もそうはっきりした過去ではありません。そして「～したかもしれない」ということを言い表すためには might ＋ have ＋過去分詞の形を採るのが普通です。このあたりちょっとややこしいかもしれませんが、成長する過程の苦しみだと思って乗り越えてください。

［例題］
　　He might have stayed at his friend's.
　　　（彼は友人の家に泊まったのかもしれません）
　　He might have lost his way.
　　　（彼は道に迷ってしまったのかもしれません）
　上の例文の might を may にしても意味はさほど変わりません。ただ、might の方が時間が更に経過しているとみていいでしょう。

might が might ＋動詞のときは、may ＋動詞のときに比べて、仮定が更に強くなります。**a.** と **b.** の文を比較してください。

a. It may be better to tell her the truth now.
（彼女に今本当のことを言っておく方がいいのじゃない）
b. It might be better to tell her the truth now.
（彼女に今本当の事を言っておいた方がいいかもしれない）

強いてこの二つの文の違いを言うならば、**a.** は「言わないよりはいい」「後で言うよりはいい」という程度のことであり、**b.** の場合は、「もしもということがあるから」とか「よくはわからないけれど言っておいた方がいいのではないか」という気持ちが多分に含まれていると言えるでしょう。練習問題は省きます。

63. should と ought to の使い方

Lesson 145

shall の過去形は should ですが、will, can などの過去形と一緒に勉強する前に、別な意味での使い方を学んでおきましょう。should はちょうど must (*Lesson* 104 参照) と同じような使い方をします。

［例題］
You should go now. （あなたはもう行くべきです）
Kenichi should <u>apologize</u> to you.（謝る）
　（健一さんはあなたに謝るべきです）
Should I write to your mother?
　（あなたのお母さんに手紙を書かなければいけないかしら）
We should have <u>repaid</u> you long ago.（repay ＝弁償する）
　（わが社はあなたにずっと以前に弁償すべきでした）
They should not expect it.
　（彼ら〈彼女たち〉はそれを期待すべきではありません）
They should not have expected it.
　（彼ら〈彼女たち〉はそれを期待すべきではなかったのです）
Should I have come earlier?
　（もっと早く来なければいけなかったのでしょうか）

［練習問題］
(1) 私はもう家へ帰らなければなりません。
(2) あなたの会社は私に謝罪すべきではありませんか。
(3) この事について (concerning this matter) 私は新聞に (to the newspaper) 私の意見 (opinion) を書き送るべきです。
(4) 私はそれを言うべきではありませんでした。
(5) 私はそれを言うべきだったでしょうか。
(6) 私はそれを言うべきではなかったでしょうか。

Lesson 146

ought to も大体 should と同じ意味で、ought と to の二語から成っているものの、have to と同様に、一語であるかのように使われます。

［例題］
I ought to pay this <u>by</u> tomorrow. (～までに)
　(私はあすまでにこれを支払わなければなりません)
You ought to take that examination.
　(君はその試験を受けるべきです)
You ought to have done it.
　(あなたはそれをすべきでした)
You ought not to have done it.
　(あなたはそれをすべきではありませんでした)

この ought to を should に置き換えても、一向に差し支えありません。should の方は、多少道徳的な義務観念を表すとはいえ、書く英語の基礎の段階では、そこまで区別する必要はないと思います。ですから、一応の使い方を知るだけにとどめておきます。

64. too, also, either, neither はどう使うのか

Lesson 147

too, also, either, neither の使い方をここでやりましょう。too は

「〜もまた」という意味です。置かれる位置に注意してください。なお以前は (1) のように、too の前に comma を打つのが習わしでしたが、最近は随意となり (110頁参照)、本書では (2) の方を採択します。

[例題]
(1) Summer is nice and winter is nice, too.
　　（夏はいいね、そして冬もいいですね）
(2) Summer is nice, but spring is too.
　　（夏もいいけれど春もいいですね）

注　spring の後の nice は略しても too があるからわかります。

　　I am tired. Are you tired too?　（僕は疲れた。君も疲れたかい）
　　I am hungry. Aren't you too?
　　　（私はおなかがすいた。あなたもそう）

　also も「〜もまた」の意味ですが、too と置かれる位置がちょっと違います。
　　You are thirsty. Are you also hungry?
　　　（あなたはのどが渇いているのね。おなかもすいているの）
　　She is a Girl Scout. Are you also <u>one</u>?（それ）
　　　（彼女はガール・スカウトよ。あなたもそうなの）
　大体 also は主語にくっついているのが普通です。人によっては Are you hungry also? とも言いますが、これは会話体で、多少原則が崩れたものと思ってください。

　either は、われわれ日本人にとっては面倒な言葉ですが、英語を書くからには、どうしても習得しなければなりません。either は欲張りな単語で、一つで形容詞・代名詞・副詞になり、文をつなぐ役も果たします。次は形容詞の場合です。
　　You can have either cake.
　　　（どっちのケーキを〈好きな方を〉取ってもいいよ）
　　I don't want either cake.
　　　（どっちもいらない＝両方いらない）

注　日本語で「両方いらない」と言うのを、英語で I don't want both cakes. と、

言いたくなるところですが、これは「両方（二つ）のケーキはいらない、どちらかでよい」という意味になります。それで「両方ともいらない」と言うときは、either を使わなければなりません。

　代名詞の場合は次のように使います。
　　Which do you want, a pen or a pencil?
　　　（ペンと鉛筆とどっちが欲しいの）
　　Either is all right. （どっちでもいいよ）

　注　「どっちでもいいから一つ」という気持で One is all right. と言うと、「1本でいい」という意味になり、「どちらでも」はやはり either でないといけません。

　今度は副詞の場合です。下の例も too 同様、either の前に comma を打つのが習わしでしたが、ここでも comma を省く方を採ります。
　　You are not a dentist and I am not, either.
　　　（あなたは歯医者ではないが私も歯医者ではありません）

　注　am not は not a dentist の意味です。

　　I am not well. You are not either.
　　　（僕は気分がすぐれないんだ。君もそうだろう）
　　You cannot go. I cannot either.
　　　（あなたは行けないのですね。私もです）
　　You did not pass. I did not either.
　　　（君は受からなかったね。僕もだよ）
　　I do not have to leave. You do not either.
　　　（私は行かなくてもいいのです。あなたもですね）
つまり、文章が否定である場合、「〜も」は too ではなくて either であることを特筆しておきます。

　この either と not を一緒にしたものが neither です。neither は次のように使います。
　　You are not a doctor.　　I am not either.
　　　　　　　　　　　　　　Neither am I.
　　I am not well.　　　　　You are not either.
　　　　　　　　　　　　　　Neither are you.
　　You cannot go.　　　　　I cannot go either.
　　　　　　　　　　　　　　Neither can I.

```
You did not pass.          I did not either.
                           Neither did I.
I do not have to leave.    You do not either.
                           Neither do you.
```

　either と neither は次のようにも使います。ついでにぜひ覚えておいてください。

　　Either you or I must sing.
　　　（あなたか私かどちらかが歌わなければならないのです）
　　He drinks either orange juice or tomato juice every morning.
　　　（彼は毎朝オレンジ・ジュースかトマト・ジュースを飲みます）
　　Neither you nor I will go.
　　　（あなたは行かないが私も行きません）
　　His name is neither Johnson nor Jones.
　　　（彼の名字はジョンソンでもジョーンズでもありません）
　　I like neither French cooking nor Italian cooking.
　　　（私はフランス料理もイタリア料理も好きじゃありません）

　上の例を見ると、either のときは or を使い、neither のときは nor を使うということが明らかです。この規則は必ず守ってください。
　英語では、両方を否定するときは、この either...or か neither...nor を使い、not...both でも not...too でもないということをしっかりと覚えておいてください。これを正確に使いこなすことによって、あなたの書く英語は、断然英語らしさを増すことになります。

　[練習問題]
　　(1) アメリカもいいけれどイギリスもいいですね。
　　(2) 九州もいいが北海道もいいぜ。
　　(3) 君は怒っている。僕もだ。
　　(4) 彼女はきれいだけれどあなたもよ。
　　(5) 君は文無し (broke) か。僕もだ。
　　(6) 私はロータリアン (Rotarian) です。あなたもですか。
　　(7) 私はどっちの席（二つの席の、席＝seat）に座ろう（座る＝take）か。どちらの席でもどうぞ。
　　(8) どっちの指輪 (ring) も好きじゃない。
　　(9) どっちの部屋も気にくわないね。

(10) コーヒーにしましょうか紅茶にしましょうか。どちらでも結構 (all right) です。
(11) あなたは年寄りじゃないですよ。私もよ。
(12) あなたは病人じゃない。私もです。
(13) あなたは出掛けられないのですね。私もです。
(14) あなたも私もダンスができないのよね。
(15) 君か僕かどちらかが行かなければならないよ。
(16) 私の名前は大山でも小山でもありません。
(17) 私は東京も大阪も好きではありません。
(18) 私は中国語 (Chinese) も韓国語 (Korean) も話せません。
(19) 私はアフリカも南米も行ったことがありません。
(20) 私は富 (wealth) も名誉 (fame) も欲しくありません。

65. 感謝を表す文の書き方

Lesson 148

感謝の言葉で、最初に念頭に浮ぶのは thank you でしょう。前にも述べたように、Thank you. という表現は I thank you. の I を省略したものです。従って、Thank you. の主語は I であることを忘れないでください。さて、人に感謝するからには、受けた何かに対して礼を言うわけですから、その対象を明らかにして文章にしてみましょう。

[例題]
  Thank you very much for your letter.
    (お手紙ありがとうございました)
  Thank you for your kindness.
    (ご親切ありがとうございました)
  Thank you very much for the good time yesterday.
    (きのうは楽しい時を過ごさせていただきありがとうございました)
  Thank you very much for your kindness.
    (誠にありがとうございました —— 受けた親切に対して)

注　後の2例にあるように、感謝の対象を明らかにすることは、英語の文章の

第 1 部　単　文

構造上からも必要なことです。日本語の「きのうはありがとうございました」を直訳して、Thank you for yesterday. と表現しても、それは完全な文章ではない、ということがおわかりでしょう。

　　Mr. Tanaka wishes to thank you for your letter of introduction.
　　　（田中さんはあなたからいただいた紹介状のことでお礼を申し上げたいそうです）

　be grateful, be thankful も感謝を表す形です。
　　I am very grateful for your advice.
　　　（あなたのご忠告ありがとうございます）
　　Mrs. Ogawa was very grateful for the woman finding her lost purse.
　　　（小川さんの奥さんは無くした財布を見つけてくれた女性にとても感謝していました）
　　I am thankful for your safe return.
　　　（あなたが無事にお帰りになったことに私は感謝します――この thankful には、神に感謝するといった意味が多少込められています）
　　I am thankful for your telling me the truth.
　　　（私に本当の事をおっしゃってくださったあなたに感謝しております）

　次は appreciate を使った例題です。
　　I appreciate it.
　　　（それに感謝します――「それ」とは「そうしてくだされば」の意味）
　　I shall appreciate it.（同上）
　　Mr. Harris appreciated your kindness very much.
　　　（ハリス氏はあなたのご好意に大変感謝しておられました）
　　He does not appreciate me.
　　　（彼には私のありがたさがわかりません）
　　No smoking. Your cooperation will be appreciated.
　　　（禁煙。皆様のご協力を感謝いたします――この文には by the management ＝「経営者より」が略されています）

be appreciative of も appreciate と同じ意味です。
  Be appreciative of his advice. （彼の忠告に感謝しなさい）
  I am very appreciative of your <u>company</u>. （この company は、一緒にいるとか同伴者という意味です）
    （あなたがご一緒してくださるので私はとてもうれしいです）
  My daughter will be very appreciative of your present.
    （あなたの贈物に娘は大変感謝するでしょう）
次のように be appreciated by （受身の形）も使えます。
  Your present will be very much appreciated by my daughter.
    （同上）
  Your <u>editorial</u> was much appreciated by us all. （新聞、雑誌の社説）
    （貴紙の社説には私たち一同大変感謝しております）

  注　英語では過去形で、日本語では現在形になりますが、意味には変わりありません。

[練習問題]
(1) 電子メールをありがとう。
(2) 私の誕生日 (birthday) のプレゼントありがとう。
(3) きのうは来てくれてありがとう。
(4) 代金（支払い＝ payment）を早速 (promptly) ご送付 (send, remit) くださり感謝に堪えません。
(5) ちょうどよい時 (timely) に警告 (warning) を与えてくださってありがとう。
(6) ハリントン (Harrington) さんにお世話になった (his kindness showed) お礼 (letter of thanks) を書きなさい。（主語は you にします）
(7) あなたのご援助 (help, assistance) に対し一同心から感謝の気持ち (heartfelt thanks) を述べ (express) させていただきます。
(8) お礼などおっしゃっていただいては困ります。（「あなたは私に感謝などすべきではない」と書きます）
(9) ありがたい (Thank God!)！練習問題が終わった。

第2部　複文

66. 複文の作り方

Lesson 149

　今までに習った文章は、かなり広範囲にわたって、いろいろな形と表現法を使ってきましたが、一応全部「単文」であったと言えます。すなわち、下の例文のように、文章の主体になるもの（主語）があって、その主語の行動なり状態なりを表現するとか、あるいはそのことに対し質問するものでした。

[例題]
(1) This is our country.
　　　（これは私たちの国です）
(2) Mr. Kondo came here yesterday.
　　　（近藤さんがきのうこちらにお見えになりました）
(3) What did you say?
　　　（あなたは何と言いましたか。または、何だって？）
(4) Belgium is a kingdom in Western Europe.
　　　（ベルギーは西欧にある一王国です）
(5) You and I must go and see Mr. Brown and Mr. Smith today or tomorrow.
　　　（あなたと私はきょうかあすにはブラウンさんとスミスさんに会いに行かなければなりません）

　つまり、一つの文の中にどんな形容詞や副詞（動詞を修飾する言葉）が入っていても、またどんな「てにをは」を使っていても、その文章に主語が一つだけあって、しかも行動または状態を表す言葉が一つなら、それは単文と言えます。

例題 (5) は一見単文でないように見えますが、これも主語は「私たち」すなわち we と同じことですし、行動も一緒にしていますから単文の部類に属します。

それなら You stayed home and I went to see a movie. (あなたは家にいました、そして私は映画を見に行きました) はどうかというと、これは私に言わせれば、単文二つを and で結んだものであって、構造上、単文の域を脱していません (文法書では重文 ― compound sentence ― と呼んでいます)。同じく、You stayed home, but I went to see a movie. と言ってみたところで、別に文章の構造上変化が起きたわけではありません。

では、私の言う英語の複文とは何かというと、This is the necklace which you gave me. (これはあなたが下さったネックレスです) のように、一つの文章の中に二つの完全な文章が収まっているものを指して言います。こういう文章がうまく書けないと、どうも書いた英語がぎこちなく感じられます。今までの練習問題がとかく物足りなかったのはそのためです。

さて、上述の文章は次の二つの文章によって構成されています。

This is a necklace.
You gave me this necklace.

これを一つの文章にすると、This is the necklace which you gave me. となるのです。a necklace が the necklace になるのは、「特定されたネックレス」になるからです。会話のときはさらに This is the necklace you gave me. と which を取ってしまうのが普通です。

では、これからしばらく複文の書き方を練習していきます。「書く英語」のだいご味も、まさにこれからというところです。

⑥⑦. which, that, who, whose, where, when, what で結ばれた文

Lesson 150

まず which や that で結ばれた文を紹介します。

第2部　複文

[例題]

This is the briefcase which my wife gave me.
　　（これは妻がくれた手提げかばんです）
That is the leather coat which I bought in Milan.
　　（あれがミラノで買った革のコートです）
Where is the book that you borrowed from the library?（借りる）
　　（あなたが図書館から借りてきた本はどこにあるのですか）

注　なお which と that は同じ働きをするので、どちらを使ってもかまわないことになっています。ただし「物＝ things」に関するときだけです。

[練習問題]
（1）これはきのう私が買ったテレビゲームです。
（2）それは僕が君にやった本じゃない。
（3）この花は幸子さんが持って（bring）きたものかしら。
（4）私が見つけた子犬（puppy, pup）を見てちょうだい。
（5）彼女が今歌っている曲を君は知ってるかい。

Lesson 151

今度は who や that で結ばれた文です。人物に関する二つの文が結合される場合、who または that が使われます。

[例題]

This is the man who hit me.　　（私をぶったのはこの人です）
Mr. Norman is the gentleman who is talking there on the telephone.
　　（あそこで電話で話をしている紳士がノーマンさんです）
Who is the lady who was talking to you?
　　（あなたと話していた女性は誰ですか）
Do you know the man who cashed this check?（小切手などを現金に換える）
　　（この小切手を現金に換えた男を君は知っているのかい）
Do you know the man that you were talking with?
　　（あなたと話をしていた男性はお知り合いですか）

この最後の例題には、注意していただきたいことがあります。と言うのは、この the man は know と talking with 双方の目的語なので、この二つをつないでいる that も目的語として取り扱われるからです。ただ that は、主語の場合も目的語の場合も that でよいのですが、who は、目的語のときには whom と who と両方が使われます。ただ最近の傾向として、who も that と同じく、主語・目的語とも who が使われるので、この本では who を使っておきます。

　しかし、一例として上述の文章を whom で書いてみましょう。
　Do you know the man whom you were talking with?
では、もう少し例題を見ることにします。
　Miss Kondo is the student who wants to see you.
　　（あなたに会いたがっている学生は近藤さんです）
　What is the name of the person who told you the news?
　　（その知らせをあなたに告げた人の名前は何ですか）
　Here comes the woman that I want to see.
　　（私の会いたい女の人がこっちへ来ます）
　You are just the man that I have been looking for.
　　（私がずっと探していた人物はあなただ）
who や that が結びつける文章は、必ずしも後半に来るとは限らず、文の頭に来て主語を修飾したり、文の途中に来たりもします。
　The man (that) I am looking for wears heavy glasses.
　　（私の探している人は分厚い眼鏡を掛けています）
　The lady who called on you was very beautiful.
　　（あなたを訪ねてきた女性は美人でしたよ）
　The boy who you sent to us is very nice.
　　（あなたが私どもよこしてくれた少年はとてもよい子です）
　Where did the student who wanted to see me go?
　　（私に会いたいといっていた学生はどこへ行きましたか）
　The gentleman who is talking there on the telephone is Mr. Norman.
　　（あそこで電話で話をしている紳士がノーマンさんです）
　A person who buys a car buys a lot of troubles.
　　（自動車を買う人は厄介を買うようなものです）

[練習問題]
(1) あそこで電話をかけていた女性 (lady) がノーマン夫人です。
(2) 私に会いたがっていた外国人はどこへ行きましたか。
(3) あなたがよこしてくれたお手伝いさんはよく働きます。
(4) ジョンさんに会いにきた女性 (woman) はとてもきれいでした。
(5) 私の息子が尊敬して (admire) いる先生はあなたです。
(6) おまえにこのパソコンを売った女店員 (saleswoman) の名前は何というのだい。
(7) この花束 (bouquet) を送った人の名前は何というの。
(8) 私の跡をつけて (follow) きたのはこの男です。

Lesson 152

次は whose の使い方です。以前に出てきた whose は「誰の」という意味で、次のように使いました。

   Whose car is this? （これは誰の車ですか）

さてここでは、この whose が接続の役を演ずる文を書いてみたいと思います。次の二つの英文と日本文を見てください。

(1) This is Mrs. Yoshida.
(2) Mrs. Yoshida's daughter is in your class.
(1) こちらは吉田さんの奥さんです。
(2) 吉田さんのお嬢さんがあなたのクラスにいます。

上の日本文の (1) と (2) を一緒にすると、「こちらは吉田さんの奥さんで、お嬢さんがあなたのクラスにいます」のようになりますが、英語で書くと次のようになります。

  This is Mrs. Yoshida whose daughter is in your class.

このように二つの文を一つの文章にまとめた例文をもう少し紹介しましょう。

[例題]
(1) This is Miss Brown.
(2) Her brother is a friend of your brother.
 = This is Miss Brown whose brother is a friend of your brother.

時制の一致

　複文を書くときに、一つ心得ておかなければならないことがあります。それは、複文において、前の文（主節）の動詞が表す時制に、従属する文（従属節）の動詞の時制を一致させる、という決まりです。時制とは、動詞の表す時間的位置、つまり現在、過去、未来などを指す文法用語です。

　ただしこの決まりは、主節の文の動詞を過去形にした場合に適用され（*Lesson* 168―222頁参照）ます。それはどういうことを言うのか、以下の例を見てください。

　[例題]
　Mr. Norman is the gentleman who is talking there on the telephone.
　　（あそこで電話で話をしている紳士がノーマンさんです）
　→ Mr. Norman was the gentleman who was talking there on the telephone.
　　（あそこで電話で話をしていた紳士がノーマンさんです）

　また、従属節の動詞が過去形または現在完了形のときは、それぞれ過去完了形（*Lesson* 169―224頁参照）になります。例を見てください。

　[例題]
　This is the necklace which you gave me.
　　（これはあなたからいただいたネックレスです）
　→ This was the necklace which you had given me.
　　（これはあなたからいただいたネックレスでした―もうそこにはない、例えば写真のネックレスのことを言っている）

　しかし「時制の一致」は、以上の例のような複文のすべてに適用されるわけではなく、これにも例外がありますから、以下の例を参考にしてくだい。
　1.　普遍的真理の場合。
　　　　The teacher said that the earth is a planet.（惑星）
　　　　（地球は惑星であると先生は言いました）

2. 習慣や習性などを表す場合。
　　She said that she goes to bed at ten every night.
　　　（彼女は毎晩10時に寝ると言いました）
3. 歴史上の事実である場合（過去完了形にしない）。
　　My friend said that the spaceship Apollo landed on the moon in 1969.
　　　（宇宙船アポロが月に着陸したのは1969年だと友人は言いました）
4. 比較を表す場合。
　　He said that his girlfriend is older than he.
　　　（彼のガールフレンドは彼より年上だと言いました）
5. 仮定の過去形や過去完了形の場合は変わらない。
　　If I were you I would not read such a book.
　　　（私があなたならそんな本は読みません）
6. must, had better, should, ought なども時制に拘束されない。

いずれにしても、主節の動詞が過去の事を述べたら、それを受ける従属する節の動詞は、上の6例を除けば、時制を一致させるということです。

　　He promised me that he will go with me.

上は時制が一致していない文例です。下は時制を一致させた正しい文であることは、もうおわかりでしょう。

　　He promised me that he would go with me.
　　　（彼は私と一緒に行くことを約束しました）

　　　　　（こちらはブラウンさんで、彼女の弟さんはあなたの弟さ
　　　　　んと友だちです）
　　(1) Mr. Orito's son went to America.
　　(2) Mr. Orito is a <u>publisher</u>.（出版業者）
　　　　= Mr. Orito is a publisher whose son went to America.
　　　　= Mr. Orito, whose son went to America, is a publisher.
　　　　　（息子さんをアメリカへやった折登さんは出版業者です）
　上の例題のように二通りの書き方がありますが、下の例文の場合は、上記のようにcommaでくくります。その詳しい用法は「基礎編」では省きます。
　whose は人物だけでなく、物にも使います。
　　(1) This is the painting.
　　(2) Its frame is missing.
　　　　= This is the painting whose frame is missing.
　　　　　（これが額縁が紛失している絵です）
　　(1) This is the door.
　　(2) Its hinges are <u>stuck</u>.（stick の過去分詞＝くっつく）
　　　　= This is the door whose hinges are stuck.
　　　　　（これがちょうつがいがくっついてしまった扉です）
　　(1) This car is <u>brand-new</u>.（新品）
　　(2) Its engine is out of order.
　　　　= This car, whose engine is out of order, is brand-new.
　　　　　（エンジンが故障しているこの自動車は新車です）

　次の練習問題は、一度別々に書いてから whose で連結して複文にしてください。

　［練習問題］
　　(1) こちらは大石さん（Mrs.）です。この方の自転車が盗まれました。
　　(2) この方は上田さん（Mr.）です。上田さんの住まいは水戸にあります。
　　(3) あちらがスミス（Mr. Smith）さんです。最近（recently）奥さんが亡くなられ（亡くなる＝pass away）ました。
　　(4) 南さん（Mrs.）の息子さんを私は教えています。その南さん

は私と同級生でした。
(5) アリス (Alice) さんの妹さんはピアニスト (pianist) です。アリスさんは有名な作家 (author) です。

次の文を whose を使った文にしてください。
(6) あなたは日本人の奥さんをもたれた最初の駐日アメリカ大使 (American Ambassador to Japan) です。
(7) あなたは新聞に写真 (picture) の出た (出る＝appear) スイス (Swiss) の登山家 (alpinist) ですか。
(8) この人たち (people) は外国人学生を援助している (help) 団体 (organization) の人たちです。

Lesson 153

「あそこで電話で話をしている紳士がノーマンさんです」を、Mr. Norman is the gentleman who is talking there on the telephone. と書くことを学びましたが、これは次のように略すことができます。Mr. Norman is the gentleman talking there on the telephone.

さらに the gentleman talking there on the telephone は、the gentleman there talking on the phone と略せるので、最後には、Mr. Norman is the gentleman there talking on the phone. まで短縮できます。このように、名詞の次に ing の付いた動詞が続いた書き方は、非常にうまみのある英語ですから、大いに使ってください。次の例文をよく見て、この形の使い方の範囲の広さを味わって参考にしてください。

[例題]

The man driving the new car is my cousin.
（新車を運転している人は私のいとこです）

The young man playing first violin is my son.
（第一バイオリンを弾いている青年は私の息子です）

注 この first violin は、楽器のことを言っているのではなく、楽団での地位を言っていますから the は不要。

The woman walking toward us is my mother.
（私たちの方へ歩いてくる女性は私の母です）

The teacher wiping that boy's face is our homeroom teacher.
　　（あの男の子の顔を拭いてやっている先生が私たちのホームルームの先生です）
One river running through the Kanto Plain is the Tone.
　　（関東平野を貫いて流れている川の一つは利根川である）
Do you know the man talking to the driver over there?
　　（あそこでドライバーに話しかけている人を知っていますか）
I have never met that man sitting there.
　　（あそこに座っている人に私は会ったことがありません）
　上の例題の形は、ing の付いた動詞がその前の名詞を修飾している、ことを承知しておいてください。

[練習問題]
(1) あそこで本を読んでいる女の人は私の姉です。
(2) 私たちの方を向いて（at）ニッコリ笑って（smile）いる男の人は私の父です。
(3) あの男の子を叱っている（scold）女の人は私たちの先生です。
(4) スキー（skis）をはいている（put on）男の人は私たちのコーチです。
(5) あの机でキーボードを打っている（type on the keyboard）女性の名前をあなたはご存じですか。
(6) 今激論中（argue furiously）の二人の男の人は副社長（vice president）と部長（department chief）です。
(7) 父の車を運転している人は60歳で孫（grandchildren）が3人もいる人です。
(8) 社長の秘書（private secretary）をしている（serve）人はアメリカのスミス大学（Smith College）を卒業し（graduate）、ヨーロッパへ行ったこともある方です。

Lesson 154

　次は where で結ばれた文の書き方です。where は、場所に関する二つの文を結ぶのに使われます。

第 2 部 複 文

[例題]
(1) This is a park. （これは公園です）
(2) I met you here. （私はここであなたに会いました）
    = This is the park where I met you.
    （ここが私があなたに会った公園です）
(3) This is a mine. （これは礦抗です）
(4) Seven men lost their lives last month.
    （先月 7 人が命を失いました）
    = This is the mine where seven men lost their lives last month.
    （先月 7 人が亡くなった礦抗はここです）

ここで注意していただきたいことは、where で二つの文章が結ばれることによって、where 以下の文が mine を特定なものとするため a mine ではなく the mine となることです。これは前出の the man talking や the teacher scolding の例にも見られた形です。

では次の各文をよく見てください。

a. Where there is a will, there is a way.
    （意志のあるところには道がある）
b. Where you go, I will go also.
    （あなたの行くところに私も行きます）
c. Tell me where you will be this afternoon.
    （きょうの午後はどこにいるか知らせてください）
d. I don't know where Mr. Goto is.
    （後藤さんはどちらにおられるか知りません）

a. と **b.** の Where は「～のところに」の意味であり、**c.** と **d.** の where は、Tell me...、I don't know... の目的語になる「どこに」です。それぞれを単文にすれば次のようになります。

a. Where there is a will, there is a way.
    There is a will.
    There is a way to do it. （難事）
b. Where you go, I will go also.
    You go somewhere. （どこかへ）
    I will go there also.
c. Tell me where you will be this afternoon.

　　　　　You will be somewhere this afternoon.
　　　　　Tell me where.
　　　d. I don't know where Mr. Goto is.
　　　　　Mr. Goto is somewhere.
　　　　　I don't know where.

次の単文 **a.** と **b.** を結んで一つの文章にしてください。

[練習問題]
　(1) **a.** This is a store.
　　　b. I am working here.
　(2) **a.** This is a hospital.
　　　b. I was born here.
　(3) **a.** This company is called the Yamato Company.
　　　b. I am <u>employed</u> here. （雇われている、勤めている）
　(4) **a.** Your father is somewhere.
　　　b. I don't know where.
　(5) **a.** This product is made somewhere.
　　　b. Do you know where?
　(6) **a.** He is somewhere.
　　　b. She is there too.
　(7) **a.** The <u>suspect</u> is somewhere. （容疑者）
　　　b. Tell us where.
　(8) **a.** You bought a bottle of champagne somewhere.
　　　b. Is this the store?
次の日本文を英文に直してください。
　(9) 一番近い駅はどこか教えてください。
　(10) 郵便局はどこにあるのかご存じですか。
　(11) 私が行く床屋はここです。
　(12) ここがあなたの行きつけの美容院ですか。

　注　「行きつけ」は「行く」でいいです。

　(13) 殺人 (murder) が行われた (take place) 部屋はどこですか。
　(14) 会議が行われている (be in session) ホールはここです。
　(15) みんな (everyone ― 単数) はどこにいるのかわかりません。

第 2 部　複　文

Lesson 155

次は、when が「〜した時に」という意味を持つ場合の使い方です。

[例題]
(1) I was working.
(2) He came.
　　= I was working when he came.
　　　（彼が来た時、私は仕事をしていました）
(3) I will go.
(4) The rain stops.
　　= I will go when the rain stops.
　　　（雨がやんだら出掛けます）

注　The rain lets up. と言うのが普通。

(5) I came.
(6) You came.
　　= I came when you came.
　　　（あなたがいらっしたときに来ました＝同時に来た）
(7) What time was it?
(8) You came at a certain time.（ある時 — 不定の）
　　= What time was it when you came?
　　　（あなたが来たときは何時でしたか）

注　もちろんこれは When did you come? とも言えます。ただ上の文の方は明確な時刻を尋ねています。

[練習問題]
(1) 私が電話した時にあなたはいませんでした。
(2) 電話が鳴った時には私はシャワーを浴びて (take a shower) いました。
(3) 速達が来た時、あなたはどこにいたの。
(4) ドアを閉め (shut) た時、人さし指 (forefinger) をけがしました。
(5) 私が会いたいと山田さん (Mr.) が来たら言ってください。
　　（「来たら」は現在形で）

(6) その本を読み終った (finish with ＝現在完了形で) ら私に貸してください。
　(7) 暇なとき遊びに来てください。(「時間を持つとき会いに来て」と書きます)
　(8) 雨が降るとこの川はあふれる (overflow) のです。

Lesson 156

　ここは what で結ばれた文の例です。what は、「どんなこと」「どんなもの」など疑問を表す場合や、「〜をするもの」「〜をすること」など、考え、事柄を表すのに使われます。使用範囲が広いので、ここでは以下の例文にとどめておきます。

［例題］
　(1) You are saying <u>something</u>. (ある何か、ある物)
　(2) I do not understand it.
　　　＝ I do not understand what you are saying.
　　　　（私はあなたが言っていることが理解できません）
　(3) You are saying something.
　(4) It is very important.
　　　＝ What you are saying is very important.
　　　　（あなたの言っていることは極めて重大なことです）
　(5) Something is going on over there.
　(6) Go and see it.
　　　＝ Go and see what is going on over there.
　　　　（あそこで何が起きているのか行って見なさい）

では次の **a.** と **b.** の文を一つの文にまとめてください。

［練習問題］
　(1) **a.** Something has happened to Sachiko.
　　　b. Have you heard it?
　(2) **a.** She does not know it.
　　　b. He will not hurt her.
　(3) **a.** Something is written there.

b. Can you read it?
(4) a. You wrote something about me.
   b. I have found out.

次の日本文を英文にしてください。
(5) あなたの言っていることは私には何ら関係 (relationship) ありません。
(6) 君は彼の言うことを信じるのかい。
(7) あなたからもらったものを無くして (lose) しまったの。
(8) 彼女に何が起きたのか私には想像で (imagine) きません。

68. before, after, since, until, while で結ばれた文

Lesson 157

次は時間的な関係を表す言葉、before, after, since, until, while で結ばれる文の例です。

[例題]
I arrived before he left. （私は彼がたつ前に着きました）
The parcel came after you left.
    （あなたがたってから小荷物が届きました）
I have been very lonely since you left.
    （あなたが行ってしまってからは、私はずっと寂しく暮してきました）
I will wait here until you come.
    （あなたが来るまで私はここで待っています）
I did not do anything while you were out.
    （あなたが外出中、私は何もしませんでした）

上の例でも明らかなように、これらの言葉はそれぞれはっきりとした役割を持ち、他の言葉と混同する危険はないと思います。注意を要することはと言えば、これらの語を文頭に置いた場合には、その句の終わりに comma を打つことです。

書く英語・基礎編

そこで上の例は、次のように書くこともできます。
　　Before he left, I arrived.
　　After you left, the parcel came.
　　Since you left, I have been very lonely.
　　Until you come, I will wait here.
　　While you were out, I did not do anything.
ただし、少し意味が変わっています。それは、前半に述べていることが特に強調されているということです。これは、こういう書き方もあるということを示しただけで、この「基礎編」では、前述の例題を参考にしていただくだけで結構です。

［練習問題］
(1) あなたが電話する前にファックスが着き（get here, arrived）ました。
(2) あなたが来る前に山本さん（Mr.）から電話がありました。
(3) 私がうちを出る前に雨が降っていました。
(4) 私たちが競技場（arena）に着いてから試合が始まりました。
(5) あなたが出てからずっとここに一人で（alone）住んでいます。
(6) あなたから電話があってから誰も来ませんでした。
(7) 私が戻って（return）くるまでここにいなさい（stay）。
(8) うちに着くまでこの箱を開けてはいけませんよ。
(9) あなたがテレビを見ている間に私は買物に行って（go shopping）きます。
(10) 赤ちゃんが寝ている（be asleep）間に私はアイロンかけ（do my ironing）をしました。

69. because, since, as で結ばれた文

Lesson 158

理由を表すには、because と since と as を用います。since は、時間的な関係も表しますから、注意して使ってください。

［例題］
　Because it was raining very hard, I did not go out today.
　　（雨が激しく降っていたので、きょうは外出しませんでした）
　Because I had no money, I withdrew some money at the bank.
　　（お金が無かったので銀行でいくらか引き出しました）
　Since you don't want to stay home today, let's go bowling.
　　（きょう家にいたくないのなら外へ行ってボーリングをしよう）
　As you are my son, I'll excuse you this time.
　　（あんたはあたしの息子だから、今回は許してあげる）

　こうして例文を見ると because, since, as が文の頭に来ていることに気が付きます。前のレッスンの場合のように、後の文の頭に置くこともできますが、そうすると理由の原因が弱くなりますから、これもこのままの形で覚えておいてください。because や since や as の区別は、because, since, as の順に意味が弱くなります。また現代の英語では、理由を表すのに as を最後の例文のように、あまり使いませんので、特記しておきます。

［練習問題］
　(1) 先生が病気なのできょうは授業 (class) がありませんでした。
　(2) あなたが行ってしま (go away) ったので私は急に (suddenly) 寂しくなりました。
　(3) あすは日曜日だからゆっくり（遅く＝ late）寝かせてくれ (let me) よ。
　(4) あなたが注文され (order) たのですからお支払い願います。
　(5) もう6時だから夫はすぐ帰ってくる (be back) でしょう。

70. so that の使い方

Lesson 159

　次は目的を表す言葉ですが、これはいろいろあります。in order that, for the purpose of, to などです。ここでは so that...can, so that...may の形で目的を表す文を学びます。

[例題]
　I came home early so that I can clean my room.
　　（早く帰宅したのは私の部屋を掃除するからです）
She went to the department store so that she could buy new furniture.
　　（新しい家具が買えるので彼女はデパートへ行きました）
I sent you some money so that you may enjoy a little vacation.
　　（少しばかりお金を送ったから、ちょっとした休暇を楽しめるでしょう）
I am working very hard so that we can go on a long trip someday.
　　（旅に出る）　　（一生懸命働いているのは、いつか私たちは長期の旅行をしたいからです）

[練習問題]
　(1) エステ（esthetician）へ行って美しくなってきますから。
　(2) それが取れないように（will not come off）しっかりくっつけて（glue tightly）おきなさい。
　(3) しっかり結んで（tie fast）ほどけないように（will not come loose）しておきなさい。
　(4) 今料理しているのは、あすピクニックに出掛け（go on a picnic）たいからです。
　(5) 私は英語を習おうと思ってこの CD プレーヤー（CD player, compact disc player）を買いました。

71. as...as の使い方

Lesson 160

　今度は、一方が他方に等しいことを表したり、頻度や数量や質を表す方法です。

[例題]
　He hit me as many times as I hit him.
　　（僕があいつをなぐった数だけあいつは僕をなぐったよ）

第2部　複　文

　　There were as many <u>opinions</u> as there were people.（意見）
　　　（人の数と同じ数の意見が出ました）
　　<u>Pour</u> as much water into this jar as the other one.（注ぐ）
　　　（そのつぼにもう一つのつぼに入っているだけの水を入れなさい）

　以上の例文は、前後の状況がピッタリ一致していて、型にはめたような感じがします。私たちが書き表したいことは、そう厳密に等しいことばかりではありません。例えば次のような使い方もあります。
　　Come as often as you can.
　　　（ご都合がつく限りちょくちょくおいでください）
　　There were corn fields as far as the eye could see.
　　　（見渡す限りとうもろこし畑でした）
　　I fixed your fax machine as well as I could.
　　　（あなたのファックスをできる限り修理しておきました＝もうこれ以上修理のしようがない）

　　注　I could は、as well as I can fix it の 過去で、さらに fix it を略しています。fix は repair の同義語ですが、ちょっとした修理には fix の方が多く使われます。

　　Is your father as old as my father (is)?
　　　（君のお父さんは僕のおやじと同じくらいの年令かい）
　　I can run as fast as you can.
　　　（君と同じくらい速く走れるさ）
　　Taro is as tall as Jiro (is).
　　　（太郎は次郎と身長は同じです）
　このように、二つの文を as...as でつないで、数や量や質を表す言葉を as と as の間に挟むと、程度や類似点を比較します。

［練習問題］
　（1）どうぞ寝たいだけ寝てください。
　（2）速く走れるだけ走ってごらん。
　（3）あなたは私と同い年ですか。
　（4）見渡す限り自動車の洪水（thousands of）でした。
　（5）あなたのバイク（motorcycle）はできるだけ早く修理してあげます。

(6) なるべく上手に（きちんと＝ closely）顔をそって（shave）くれよ。

(7) それは私の小指 (little finger) ぐらいの大きさでした。（ここでは「それくらい小さい」ということを言っています）

(8) 死ぬほどあなたを愛しています。（「自分の生命〈life〉を愛するほど」と書きます）

Lesson 161

　ここのレッスンは単文のところでも習いましたが、一方は他方に比べてどうであるかという、比較する文章の書き方です (*Lesson* 108 参照)。今度は、文の内容が少し複雑になっています。前の文は、He is older than you. (彼は君より年上です) の形でした。ここでは、He is older than you are. の形を習います。この文の意味は前の文と同じで、また、もともと単文に見えた He is older than you. は、実はこの He is older than you are. を略したものです。

　それなら、なぜわざわざこんなことに手間を掛けるのかと不思議に思われるでしょうが、それは、この形 (型＝ pattern) 式は、ほかにも広く利用できるからで、例題として取り出したわけです。例えば、「このごろ東京の都心では歩いた方が早い」と、よく言われますが、この文は英語で（これまでに習った形を使って書くのなら）、次のように書くことができます。

　　　In downtown Tokyo these days you get there faster by walking than by riding.

もう少しすっきりした例題を挙げてみましょう。

　　　You speak English better than I speak Japanese.
　　　　　（あなたは私が日本語を話すより上手に英語を話しますね）
　　　I love music more than you love sports.
　　　　　（あなたがスポーツを好む以上に私は音楽が好きなのです）

よくアメリカ人夫婦が互いに言うセリフに、"I love you more than you love me." というのがあります。直訳すれば「あなたが私を愛している以上に私はあなたを愛している」となりますが、本当は、「あなたは私を愛していない」という意味なのでしょう。今学んでいる文の形の例としては、最もわかりやすい例として覚えておいてください。

第2部　複文

[例題]
　My mother is older than my father is.
　　（私の母は父より年上です）
　I can telephone him faster than you can fax him.
　　（僕が彼に電話する方が君が彼にファックスするより早いよ）
　I am more surprised than I am happy.
　　（私はうれしいよりびっくりしました）
　The lecture was more trying than it was enlightening.
　　（講義は啓発されるというよりは聞いているのがつらかった）

[練習問題]
　(1) 私はあなたより年上です。
　(2) 私はその鏡（mirror）をあなたが磨く（polish）より速く磨けます。
　(3) 彼女は悲しい（sad）というよりショックを受けている（shocked）のです。
　(4) この本は面白い（entertaining）というよりはためになる（educational）本です。
　(5) 君は僕が彼を憎む以上に彼を憎んでいるね。

72. so...that の形

Lesson 162

　so that と形がちょっと似ていて混乱するかもしれませんが、同じように結果を示す文に、次の pattern があるので、ぜひ利用してください。これも非常に使用範囲の広いものです。

[例題]
　I was so <u>mad at</u> him that I hit him.（〜に怒っている）
　　（あんまりしゃくに障ったので手が出てしまいました）
　I like coffee so much that I cannot work without it.
　　（私はコーヒーがとても好きなのでコーヒーなしには仕事ができません）

この so の後には名詞も使うことができます。
　There were so many people in the hall when I arrived that there was <u>standing room</u> only.（立ち見席）
　　（ホールはあまりに大勢の人が入っていて私が着いたときには立見席しかかありませんでした）
　You put so much curry powder in it that I cannot eat it.
　　（あんまりカレー粉を入れたので食べられないよ）
普通名詞のときは so の代わりに such を使います。
　Diana was such a beautiful princess that everyone was in love with her.
　　（ダイアナさんはとても美しいプリンセスだったのでだれもが彼女を愛しました）

　注　文法では、普通名詞は book, dog, のように一個の単語が同類のものを指し、一つ二つと数えられものです。それに対し前記の people は、一つの集合体を表すもので、集合名詞と言い、一つ二つのように数えられません。

上の文を so...that の pattern で書けば次のようになります。
　The princess, Diana, was so beautiful that everyone was in love with her.
その他の例文です。
　You are so lazy that I am disgusted with you.
　You are such a lazy person that I am disgusted with you.
　　（君はあまりに怠け者なので僕はもうあきれてしまったよ）
　Switzerland is so beautiful that you hate to leave her.
　　（スイスはあまりにも美しいので去りがたい国です）

　注　国は女性として扱うことが多い。愛の対象だからだと思います。

［練習問題］
　(1) あなたの会社の営業マン（your salesman）がとても親切だったので、またあなたの会社の製品を買おうと思っています。
　(2) 私はあまりに眠かったので彼の講義は聞いていませんでした。
　(3) その本があまり面白かったので一晩中（all night）まんじりともしません（do not <u>even</u> blink an eye）でした。（さえも）

(4) あの人はあまりに日本酒 (*sake*) を飲んだので酔っ払って (drunk) しまいました。
(5) 電車がとても混んでいたので私はずっと (all the way) 立ちっ放し (have to stand) でした。
(6) あなたはとてもすてきな (wonderful) 方なのでこれを差し上げます。
(7) 彼のうちはとても大きな家なので、私は家の中で迷って (get lost) しまいました。
(8) あんまり雨が激しく降っていたので、きょうは外へ出ませんでした。

73. it is...to... の形

Lesson 163

次は「～することは～である」という文の形です。これまで学んだ単文と形は全く同じです。単文では、Baseball is an interesting sport.（野球は面白いスポーツです）というのが最も普通の形として習いました。今度は、これを「野球をして遊ぶのは面白いです」のように書き換えるのです。以下の例文を見てください。

   To play baseball is interesting.

これは to play baseball の部分が主体（主語）になっているわけですが、英語では次の形を用いるのが習慣になっています。

   It is interesting to play baseball.

つまり、「面白い、野球をして遊ぶことは」という形です。

[例題]
  It is wrong to tell a lie. （うそをつくのは悪いことです）
  It is good to see you. （あなたに会えてうれしいです）
  It is fun to study English. （英語を学ぶのは面白いです）
  It was <u>boring</u> to listen to her.（退屈な）
   （彼女の話を聞いているのは退屈でした）
  It is dangerous to run across the street.
   （道を走って横切るのは危険である）

It will be good to see you next week.
　　（来週あなたにお目にかかるのが楽しみです）
It will be useless to argue with him.
　　（彼と議論するのは無駄でしょう）
It has been very pleasant to have you as our guest.
　　（あなたを私たちのお客さまとしておもてなしすることはとても楽しいことでした ― 直訳）

以上の文の形から学び取ることは次の2点です。
　　1.　この形はすべて it で始まっている。
　　2.　現在、過去、未来のいずれの場合でも自由に使える。

では、次にこの文の否定の形を書いてみましょう。これには二通りあります。例題で学んでください。

[例題]
　（1）It is not good to tell a lie.　（うそをつくのはよくないよ）
　　　It will not be necessary to argue with him.
　　　　（彼と議論する必要はないでしょう）
　　　It has not been easy to take care of you.
　　　　（あなたの面倒をみるのは容易なことではありませんでした）
　　　It was not hard to find his house.
　　　　（彼の家を探し出すのは難しくありませんでした）

次に示す否定の形はちょっと覚えにくいかもしれません。
　（2）It is easy not to like him.
　　　　（彼を好きにならないのはたやすいことです ― 直訳）
　　　It is hard not to like her.
　　　　（彼女を好きにならないのは難しいことです＝彼女に好意を持たざるを得ません）

これらの文の形から疑問文が作れることは言うまでもありません。

[例題]
　　Is it all right to smoke?　　　（たばこを吸ってもいいですか）
　　Is it fun to play cards?　　　（トランプするのは面白いですか）
　　Was it fun to see the play?　（その劇は面白かったですか）

Will it be bad taste to say that?
　　（そんなことを言うのは下品ですか）
Wasn't it easy to find the theater?
　　（劇場を探すのはわけなかったでしょう）

[練習問題]
(1) 運動をし過ぎる（too much）とよくありません。
(2) 早起き（rise early）はよいことです。
(3) 彼に会えてよかった（うれしかった＝was glad）。
(4) あなたの声（voice）が小さすぎる（too soft）ので聞き取る（hear）のは容易ではありません。
(5) シャーリー（Shirley）を好きにならざるを得ません。
(6) 彼に会わないのは間違っている（wrong）のでしょうか。
(7) プロのバスケットボール（professional basketball game）は見て面白いものです。
(8) あなたの小説（novel）を新聞紙上で（in the paper）ずっと面白く拝読させていただきました。（「読むことは私の大きな喜び〈my great pleasure〉であった」と書きます）

　注　新聞に連載小説が掲載されるのは日本独特のものです。

Lesson 164

　it と to を学んだついでに、もう一つ便利な、too...to（あまり～なので～）の形を習っておきましょう。ただし、ここでの it は、to 以下の言葉を代表している it ではなくて、時間とか天候とかを表す漠然とした主語です。

[例題]
　　It is too cold to swim today.（きょうは寒過ぎて泳げません）
　　It is too dark to see you.　　（あまり暗くてあなたが見えません）
　　Is it too late to go?　　　　（行くのにはもう遅過ぎますか）
　この形は、主語が it でなければならないとは決まっておらず、I am too tired to play with you.（疲れていてあなたと遊んであげられないの）のようにも使えます。つまり、主語は何でもいいというわけです。

215

Was the problem too difficult to solve?
（その問題は解くには難し過ぎましたか＝その問題は難し過ぎて解けませんでしたか）

She was too beautiful not to be noticed.
（彼女が注目されないのにはあまりにも美し過ぎました＝彼女はあまりにも美しかったので注目の的となりました）

もう少しやさしい形で例題を見てみましょう。

This letter is too long to read.
（この手紙は長過ぎて読めやしない）

This coffee is too hot to drink.
（このコーヒーは熱過ぎて飲めません）

I am too afraid to go there alone.
（私はとても怖くてそこへ一人では行けません）

[練習問題]
(1) きょうは戸外（outdoors）で遊ぶには暑（hot）過ぎます。
(2) 暗過ぎて読めません。
(3) 疲れているので外出（go out）したくありません。
(4) 入学試験は難し過ぎて合格できませんでした。
(5) 彼はとても優秀（brilliant）だったので上司の目に留まらずにはいませんでした。
(6) この本は長い上に難し過ぎて理解でき（understand）ません。
(7) この緑茶は濃過ぎて（too strong）飲めません。
(8) 彼は彼女にプロポーズするには内気（shy）過ぎます。

74. it と that で結ばれた文

Lesson 165

今度は、文章を it と that で結ぶ形を学びましょう。以下は二つの文をつないだ例です。

[例題]
(1) You have found your lost watch.

(2) That is wonderful.
　　＝ It is wonderful that you have found your lost watch.
　　　　（失くした時計が見つかってよかったですね）
(1) Prices are going up.（価格）
(2) That is bad.
　　＝ It is bad that prices are going up.
　　　　（物価が上る一方で困ります）
(1) You are leaving us.
(2) That is sad.
　　＝ It is sad that you are leaving us.
　　　　（あなたが行ってしまうなんて悲しいですね）
(1) You have received (such) good grades.（成績）
(2) That is encouraging.（元気づける、励みになる）
　　＝ It is encouraging that you have received (such) good grades.
　　　　（おまえが〈こんなに〉いい成績をもらったとはうれしいね）
(1) Mr. McWilliams has passed away.
(2) That is very unfortunate.
　　＝ It is very unfortunate that Mr. McWilliams has passed away.
　　　　（マックウィリアムズ氏が亡くなられたことは大変不幸なことです）

次の二つの文を上の例にならって一つの文にしてください。

[練習問題]
(1) Your cell phone is damaged. That is too bad.（損傷した）（残念な）
(2) The Japanese soccer team was beaten. That is awful!
　　（is beaten＝負かされる＝負ける）（ひどい）
(3) You have a job. I am delighted.（be delighted＝うれしい）
(4) Her boyfriend is ill. That is unfortunate.（ill＝sick）
(5) You have tried your best and lost the game. That is regrettable.（残念な）

書く英語・基礎編

75. I am glad... や I am sorry... にも that が必要

Lesson 166

「うれしい」とか「悲しい」にも that が必要です。

[例題]
I am glad that you have found your file.
　　（書類入れが見つかってよかったですね）
I am sorry that you have lost your job.
　　（失業したそうでお気の毒です）
Are you happy that we are going on a trip?
　　（私たちが旅行に行くのでうれしいの）
Are they sad that she is leaving them?
　　（彼女が行ってしまうのであの人たちは悲しんでいるのですか）
「希望する」「祈る」「信ずる」などもこの形で書くことができます。
I hope that you will come back soon.
　　（あなたがすぐ戻られるよう望んでおります）
I pray that you will arrive safely.
　　（無事お着きになるよう祈っています）
I trust that your mother is well.
　　（お母さんはお元気のことと信じます）
I believe that you have met Mr. Young.
　　（ヤングさんにお会いになったことがありますよね）
I feel (that) it is better to overhaul the engine.
　　（エンジンをオーバホールした方がいいと思う）

　注　会話では、I feel (that) it's better to have the engine overhauled. のように言います。

I think (that) it is going to rain this afternoon.
　　（きょうは午後から雨になると思います）
Do you think (that) I should report this to the police?
　　（このことを警察に通報すべきだと思いますか）

第 2 部　複　文

You know that I love you.
　　（僕は君を愛しているんだ）
Do you know that it is the end of the month?
　　（月末だということをわかってますね）

　こうしてみると、that が英語ではいかに用途の広い単語であるかがわかります。ところが、人間というものは、毎日なくてはならないものはつい無視してしまう癖があるとみえて、この that は、口語体の文ではほとんど省略されてしまいます。例えば次のようにです。
　　I am sorry you lost your job.
　　I hope you will come back soon.
　　I trust your mother is well.
　　I think it's going to rain this afternoon.
しかし、書く場合には that を使うように特に心掛けてください。

[練習問題]
(1) 新しい従業員（employee, worker）が見つかってよかったですね。
(2) あなたの一番親しいお友だち（best friend）が亡くな（lose）られたそうでお気の毒です。
(3) 今より大きな家に引っ越す（move into）のでうれしいかい。
(4) 子供たちは自動車事故（car accident）を目撃し（witness）て悲しんでいるのかしら。
(5) あなたが正月前に帰れるよう希望して（wish）います。
(6) 長生き（live long）されるよう願っております。
(7) 私のこの前の（previous, last）手紙はお受け取りくださったことと信じます。
(8) 次の停車駅（next stop）は大宮だと思います。
(9) あなたが私を信じていないのを感じて（feel）います。
(10) 君は私が雇い主（employer）であるのを知っているのかね。
(11) 私が一人の自立した（independent）成人（adult）であることをあなたはわかっているのですか。
(12) きょうは十分仕事をし（work long enough）たと思うよ。

書く英語・基礎編

76. 直接話法と間接話法

Lesson 167

「～と彼は言った」の、この形は、人の言ったことをそのまま引用するもので、書く英語の中でも特別な形を必要とします。例えば次の文「『私はこれから東京へ出掛ける』と私の父は言いました」は、次のように書きます。

  a. My father said, "I am going to Tokyo." または、
  b. "I am going to Tokyo," said my father.

 a. と **b.** どちらの形式でもいいのですが、以下のことに留意してください。

1. 引用される部分は必ず quotation marks でくくること。始めは「"」で終わりは「"」であること。
2. 終わりの quotation marks は、period または comma の後に付ける。
3. 文を My father said で始めるなら、My father said, のように comma を said の後に打つ。
4. **b.** のように引用部分を先に書くのなら、said my father の前の文の quotation marks の中に comma を打つ。
5. 引用部分の最初の文字は、普通の文章のように大文字で書き始める。
6. 引用部分が疑問文のときは、question mark は、文の終わりの quotation marks の前に入れる。例えば She said, "Are you going out with me?" のように。
7. 代名詞で書く文章のとき、「～と彼は言った」を、終わりで言う場合には、said he とせずに he said とする。すなわち次のようになる。

  "Let's go," said my father.
  "Let's go," he said.

では、もう少し例題を見ていただきましょう。

第2部　複文

[例題]

Harry said, "Please come again next Monday."
　　（ハリーは「次の月曜日にまた来てください」と言いました）
"It is only ten o'clock," said my mother.
　　（「まだ10時ですよ」と母は言いました）
My father always says, "It is never too late to learn."
　　（私の父はいつも「学問するのに年を取り過ぎているということはない」と言っています）
"Forgive me," he begged.（「許してください」と彼は懇願した）
She asked, "What is your name?"
　　（彼女は「あなたのお名前は」と尋ねました）
"My name is Taro Urashima," I answered.
　　（「私の名前は浦島太郎です」と私は答えました）

日本文でも、引用文の口に、さらに引用文または引用語が入ることがあります。「『貧乏暇なしだ』と山田はこぼしていた、と桜井さんは言いました」などは、英語では次のように書けばよいのです。

　　" 'Poverty knows no leisure,' complained Yamada," said Mr. Sakurai.

注　文章としては "Yamada complained, 'Poverty knows no leisure,' " said Mr. Sakurai. の方がすっきりしていますが、ここは引用文の作り方を練習しています。

つまり日本文の『』でくくられたところは、「' '」のように single quotation marks を使えば、後は同じです（ただしイギリスでは、アメリカと全く逆です。つまり、' "Poverty knows no leisure" complained Yamada,' said Mr Sakurai. のようになることを特記しておきます）。

[練習問題]
(1) 先生が「君はもっと運動をし（運動する = get exercise）なさい」と言いました。
(2) 監督 (superintendent) が「休憩してもいい」(it is all right to take a break) と言いました。

注　この superintendent は、運動部の監督ではなく、仕事、企業、組織の管理者を指します。

(3) 校長先生 (the principal) が「修学旅行は来月の三日だ」と発表し (announce) ました。
(4) 「そんなことをしてはいけません」と彼のお母さんは彼に言いました。
(5) 「命だけは助けて (spare) くれ」と盗っ人 (burglar) は言いました。
(6) 「お入り」とお医者さんは言いました。
(7) 「知りません」と私は答えました。
(8) その掲示 (notice) には「禁煙」と警告してあった。

Lesson 168

quotation marks でいちいち引用文をくくるのを煩わしく感じることがあります。また、第三者の言ったことを一語一句正確に引用するのは容易なことではありません。そこで英語では次の方法を取ります。次の **a.** と **b.** の文を比較してください。

 a. My husband says, "I like dogs."
 b. My husband says that he likes dogs.
  （夫は犬が好きだと言います）
 a. You said, "I will lend you the money."
 b. You said that you would lend me the money.
  （あなたは私にお金を貸してくださると言いました）

 注　この money に the が付いているのは、金額のわかっている特定のお金という意味です。

この方法について注意しなければならないことは、次の諸点です。
1. that 以下の主語が変化する。目的語も。
2. 同様に動詞（または動詞を補う言葉）も変化する。
3. 例えば「言った」(said) の場合には、that 以下の動詞も過去になる（「時制の一致」196頁参照）。
4. そのほかの言葉も **b.** のように状況によっては変化する。
 a. You said yesterday, "I will return the money tomorrow."
  （きのうあなたは「あすお金を返す」と言いました）

b. You said yesterday that you would return the money today.
   　　　（きのうあなたは、きょうお金を返すと言いました）
b. の場合には tomorrow が today になっています。
   5. he says とか said my mother とかが quotation marks の後（引用文の後）にあっても、書き換えるときは、He says that... とか My mother said that... のように頭に持ってきます。

しかし、4. のルールにも例外があります。それは主語が変化しない場合、つまり両方が「I」であるときです。

   　　　I said, "I will lend you the money."
   　　　I said that I would lend you the money.
   　　　　　（あなたにお金を貸してあげようと私は言いました）

以下の（1）から（10）の問題を He says that... の形に書き換えてください。

[練習問題]
　(1) He says, "I like classical music."
　(2) An old saying says, "Time is money." (格言)
　(3) Your boss said, "I want a reservation on the Hikari." (予約席)（新幹線の「ひかり」)
　(4) "My mother is not well," says Yukie.
　(5) "Tokyo is the most difficult city to tour in the world," foreigners say.（見物する）
　(6)「あなたのスーツが出来上がり（ready）ました」と洋服屋さん（tailor）が言ってましたよ。
　(7)「あすは雨だ」とテレビの天気予報（weathercast）が言っている。
　(8)「アメリカ（the USA）に大洪水（a big flood）があった」と新聞は報じています。

　注　日本語では一般に、アメリカ合衆国を「アメリカ」または「米国」のように書きますが、英語で America と書いた場合、正確には、アメリカ大陸（the American continents）を意味することにもなり、そうすると、北米（North America)、中米（Central America)、南米（South America)、のように分けて表さ

なければなりません。会話では America と言って済ませることができますが、実際にはアメリカ合衆国を指しているのであれば、英語では、the United States of America, the U.S.A., the USA, the US, the States のようにいろいろな書き方があります。「基礎編」ではそれぞれの詳しい説明を省きますので、ここでは、中間を取って the USA にしました。

(9)「太平洋の方が大西洋より大きい」と先生が言いました。
(10)「私の方がエミリー（Emily）より年上だ」とヘレン（Helen）は言ってました。

ここで問題になるのは、He said, "Go away!" のような命令文は、どのようになるのか、ということです。これはそのままでは書き直せません。もう少し前後の関係がはっきりしないと、誰に言っているのかもわかりません。もしこれが He said to me "Go away!" と言っているのなら、He said to me to go away. のようになって、元の形とは違ってきます。ですから、ここでは命令文や依頼文の書き換えは、本書では保留します。

また、もう一つは、He said, "I met him." のように、過去が二つ重なっている場合の書き換えです。これは次のレッスンで説明します。

77。 過去完了形と過去完了進行形の書き方

Lesson 169

さて、今度は過去完了形（past perfect）の書き方です。日本語には無い形なので、過去完了とは一体何のことかと疑問に思うでしょう。その疑問に答えるのによく引用されるのが、次の英文です。

When I arrived at the station, the train had already left.
　　（私が駅に着いた時には列車は既に出た後でした）

この had left のところが past perfect すなわち過去完了というものです。ある一定の時（ここでは When I arrived at the station...）より前に行動が完了していることを示します。これは日本語には（少なくとも文体の上では）無い用法なので、私たちには苦手です。要するに、これは単なる過去ではなくて、「過去の過去」であると思っていてください。例題で文の形をよく飲み込んでおくとよいと思います。

第2部 複文

[例題]

We had just finished supper when we heard the news on the radio.
　　（そのニュースをラジオで聞いた時はちょうど夕飯を済ませたところでした）

I had finished the book when you telephoned.
　　（君が電話をしてきた時にはその本を読み終えていました）

My father said that he had met you before.
　　（父は以前にあなたにお会いしたことがあると言っておりました— これは、My father said, "I met him before." を書き換えたものです）

I ran after you, but you had already gone.
　　（あなたの後を追ったのですが、あなたは既に出掛けてしまっていました）

I had never heard that song before.
　　（その歌はこれまでに聞いたことがありません）

注　この文には過去が一つしかないようですが、話している方は、ある一定の過去の時を意識して言っています。

Had he made an appointment?
　　（彼は約束をしてやって来たのかい）

注　この文は Had he made an appointment before he came? を短かくしたものです。

He hoped that you had slept well.
　　（彼はあなたがよく眠れるよう望んでいました）

You told me that you had graduated from college.
　　（あなたは私に大学を卒業したと言いました）

I knew that you had lied to me.
　　（あなたが私にうそを言ったのを知っていました）

I thought that I had warned you.
　　（私はあなたに警告したと思ったのだけど）

When you telephoned me, had you already arrived at the airport?

書く英語・基礎編

（あなたが電話をくださった時、あなたは既に空港に着いていたのですか）
Had the bus left already when you got there?
（あなたがそこに着いた時、バスは行ってしまった後だったのですか）

[練習問題]
(1) 火災報知機 (fire alarm) が聞こえたのは、ちょうど一時間目 (the first period) が終わった時でした。
(2) 私が家に帰って来た時、妹はちょうどピアノのレッスン (piano lesson) を済ませたところでした。
(3) 山岡さん (Mr.) は以前にあなたに会ったことがあるとおっしゃってました。
(4) お巡りさんが来た時には泥棒は逃げて (escape) しまった後でした。
(5) その話は私には初耳でした。（「私は以前にそれを聞いたことがなかった」と書きます）
(6) 彼に会う（会う前に）約束をしておきましたか。
(7) もうお休みになったものとばかり思っていました。
(8) 外国生活をなさっ (live abroad) た方だとお聞きして (be told) おりました。

Lesson 170

しつこいようですが、ここで過去完了進行形 (past perfect progressive) というものも学んでおくことにします。次の **a.**＝過去形、**b.**＝過去完了形、**c.**＝過去進行形、**d.**＝過去完了進行形、それぞれの違いをまず見てください。

a. I ate breakfast alone.
b. I had finished breakfast when you called.
c. I was eating breakfast when you called.
d. I had been eating breakfast before you called.

[訳文]
a. 私は一人で朝食を食べました。
b. あなたが電話かけてきた時には朝食は済んでいました。

c. あなたが電話かけてきた時には朝食を食べていました。
d. あなたが電話かけてきた以前に朝食を食べていました。

この形はあまり使うことはないと思うので、練習問題は省きます。

78. 未来完了形と未来完了進行形の書き方

Lesson 171

次は未来完了 (future perfect) の形を見てみましょう。将来のある時期に、一つの行動や状態が完了する時に使う形です。

［例題］
I will have finished the book by tomorrow noon.
　　（あすの正午までに本を読み終えてしまうでしょう）
She will have graduated from college when you return from your tour.
　　（あなたが旅行からお帰りになるまでには彼女は大学を卒業しているでしょう）
We will have lived in this house for three years next month.
　　（来月でわれわれはこの家に3年住んだことになります）

Lesson 172

未来完了進行形 (future perfect progressive) は、将来のある時期まで一つの行動または状態が進行し、そこで完了する場合と、そのまま続く場合です。

［例題］
I will have been reading for three hours when the clock strikes four.
　　（時計が4時を知らせると私は3時間続けて読書していたことになります）
We will have been working for this company for thirty years next year.

(来年でわれわれはこの会社に30年勤続したことになります)
He will have been preparing for Tokyo University for five years when he takes the entrance examination in February.
　　(2月に入学試験を受けると彼は東大に入るのに5年も掛けていることになります)
ここも練習問題は省略します。

79. 仮定の書き方

Lesson 173

人間の考えることには仮定することがよくあります。「ああすればよかった」とか「こうであったらなあ」といった具合にです。まず英文でいろいろな例を挙げてみましょう。動詞に注意してください。

[例題]
　I wish you were here.
　　(あなたがここにいたらいいのになあ)

　注　よく書く決まり文句。上と下の例文に were が使われていることに注目してください。詳しくは Lesson 176 — 233 頁を参照してください。

I wish I were an actor like you.
　(私があなたのような俳優だったらいいなあ)
I wish you would say "Yes."
　(あなたが「はい」と言ってくださるといいのですが)
I wish you would not do such things.
　(あなたにはそんなことをしないでほしいですね)
I wish I could fly to the moon.
　(月まで飛んで行けたらいいのになあ)
I wish I could speak English as well as you do.
　(あなたくらい英語がうまく話せるといいのだけれど)
I wish I had not said that.
　(あんなことを言わなければよかった)
I wish I had waited for him.
　(彼を待っていればよかった)

She wishes she could have met you in person, but she had to go out.
　　（彼女はお会いしたかったのですが、やむをえない事情で外出してしまいました）
I wish I had a hundred thousand yen right now.
　　（今10万円手元にあったらなあ）
The old man and the old woman said, "We wish we had a son!"
　　（おじいさんとおばあさんは「息子が一人いたらなあ」と言いました）

こうして例題を見てみると、大体次のことがわかります。
　1.　現在の状態について不可能なことを言っているときは、wish...had か、wish...were か、wish...could が使われる。
　2.　希望や願望で実現性のないことは wish...could を使う。
　3.　多少希望があれば would を使う。
　4.　過去のことを悔いているときは過去完了形を使う。

[練習問題]
（1）僕は弁護士（lawyer）だったらよかったんだけどなあ。
（2）あなたがお医者さんだったらいいのに。
（3）自動車の運転ができたらいいな。
（4）今君に会えたらいいんだけれど。
（5）きのう彼に会っておけばよかった。
（6）きょう彼女に会ったのは間違いでした。（「会わなければよかった」と書きます）
（7）お坊さん（priest）はもうお説教（sermon）を終わり（finish）にしないかしら。
（8）今100万円（one million yen）持っていたらなあ。

80.　「～に違いない」と想像する場合の用語

Lesson 174

想像でものを言うときには、imagine, suppose, believe などの言葉を使います。

[例題]
　　I imagine that you are working hard.
　　　（お仕事に励んでおられることとお察しします）
　　I suppose that you are almost ready to graduate from college.
　　　（間もなく大学を卒業されるだろうと察しております）
　　I believe that you have finished your first experiment.
　　　（最初の実験はもう終えられたことと確信しています）
　これらの形は別に問題ないと思いますが、日本語の「～に違いない」「～に違いなかった」はちょっと意外に思われるかもしれませんが、must (*Lesson* 104. 参照) を使います。
　　It must be raining.　　（雨が降っているに違いない）
　　The telephone is ringing. It must be from my office.
　　　（電話が鳴っている。私の事務所からに違いない）
　以下は現在のことですが、過去の行動や状態を想像して言うときには、次のように変わります。
　　You have a high temperature. You must have caught a cold last night.
　　　（あなたはかなり熱がありますね。ゆうべ風邪を引いたに違いありません）
　　He went to bed without supper. He must have been very tired or very angry.
　　　（あの人は夕飯も食べずに寝てしまったのよ。とても疲れていたか機嫌が悪かったからに違いないわ）

[練習問題]
　(1) これは君のクレジットカードだと思うけど。
　(2) これはあなたのサングラスに違いありません。
　(3) この部屋はだいぶ散らかっている (untidy) から、きっとあいつの部屋に違いない。
　(4) これはなかなかモダンな (modern) 家ですね。きっと池田さん夫妻の住まい (residence) に相違ありません。
　(5) とても立派な彫刻 (sculpture) だ。高価なものに相違ない。
　(6) お返事 (reply) はいただけませんでしたが、当社の商品にはご満足 (satisfy) いただけたものと確信いたしております。
　(7) ゆうべ雨が降ったに違いない。

（8）赤尾さん（Mr.）は昨夜遅く出掛けたに違いありません。
（9）おまえは文無し（penniless）じゃないか、きっとばかな（foolishly）金の使い方をしたのだろう。
（10）私は傘を電車の中に（on the train）忘れて（leave）きたに違いない。

81. you had better... の形

Lesson 175

「あなたはこうした方がよいでしょう」は、you had better の形を使います。ただしこの形は、目上の人には使わないでください。

[例題]
　You had better go to bed at once.
　　（すぐ床に入った方がいいですよ）
　You had better speak more respectfully to your elders.
　　（年上の人にはもう少し丁寧な口のきき方をした方がいいんじゃないですか）
　I had better go now.　（私はもう失礼いたします）
　He had better show up.　（彼は顔を出した方がいいぜ）
これらの否定の形は better の後に not を付け加えれば十分です。
　You had better not see him again.
　　（二度と彼に会わない方がいいわよ）
　You had better not go out tonight.
　　（今夜は外出しない方がいいでしょう）
　I had better not work so late.
　　（あまり遅くまで仕事をしない方がよさそうだ）
疑問文にするときには Had I better...? とは言いません。should を使います。
　Should I take that job?　（あの仕事を受けた方がいいかな）
　Should you eat less?　（もう少し食べる量を減らしたら）

[練習問題]
(1) 暗くなってきた。もうやめた方がいいよ。
(2) 急ぎなさい。タクシーに乗った方がいいですよ。
(3) きょうあなたは一日中座りっぱなしでしたね。少し散歩（go for a little walk）したら。
(4) あなたはへとへとじゃないの。すぐ床に入ってお休みになった方がいいわよ。
(5) 私はセントラル大学（Central College）に手紙を書いた方がいいでしょうか。
(6) 彼女から何にも便りがない（no word）のさ。僕が様子を見に行ってこよう（see what is going on）かな。
(7) おばあさんが元気がない（in poor spirits）の。お医者さんに診てもらった方がいいんじゃない。
(8) 彼の家へは立ち寄ら（call at）ない方がいいよ。
(9) きょうは家へあまり早く帰らない方がよさそうだ。家内のお袋が来ているに違いないからさ。
(10) 木村課長（section chief）に口をきかない方がよさそうだ。機嫌が悪い（in a bad mood, in a bad temper）から。

82. if, even if の使い方

Lesson 176

　仮定文には、「もしも」で始まる文がかなりたくさんありますが、この「もしも」は、大体英語の if という語で間に合います。問題はむしろ動詞または補語の方です。仮定には「万が一～があったら」という可能性のない場合と、「多分～があるだろう」といったくらいの気持のときとでは、その使い分けがおのずと違うわけです。例題でそれを習得することにしましょう。

[例題]
　　If Mr. Suzuki calls, tell him that I will be home by seven o'clock tonight.
　　　（もし鈴木さんから電話があったら、私は今夜7時までに帰宅

第 2 部　複　文

すると伝えてください ― 多分鈴木さんが電話をかけてくると
〈私は〉思っている）

If it rains this afternoon, I will come back by taxi.
　　（もし午後雨になったらタクシーで帰ってくるよ）
I wonder what I will do if it rains while I am out.
　　（もし外出中に雨にでもなったらどうしよう ― 雨は降らないと
　　思って洗濯物を出しっ放しで出かける人）
What would you do if someone saw you?
　　（もし誰かに見つかったらどうするの）
<u>Even</u> if you lose my book, it will not matter.（たとえ）
　　（君が僕の本をなくしたとしてもかまわないよ ― 将来のことで、
　　多分そんなことは起こらないだろう）
If we went that way, where would we come out?
　　（もし私たちがあっちの方へ行ったらどこへ出るでしょうか）
If I am late, go to bed first.
　　（私の帰りが遅かったら先に寝なさい ― 自分が遅くなることを
　　予期している）
If I am late tonight, I will call you.
　　（もし今夜遅くなったら電話するよ ― 誠実な旦那さん）
If I were you, I would not read such a book.
　　（私があなたならそんな本は読まないわ）
If this were Sunday, I could sleep longer.
　　（きょうが日曜日ならもっと寝ていられるのに）

　以上から割り出される大体のルールは次の点でしょう
　　1. 仮定が弱いときは動詞の現在形を使う。
　　2. 仮定に二つ以上の可能性があって、もしどちらかを選ぶとし
　　　 たら、という気持ちを表すときは過去形を使う。
　　3. 絶対にありえない仮定には were を用いる。
　if を使わない文でも、話し手が頭の中で考えたり想像した事、ある
いは話し手の願望、要求、意志などを表す仮定文（仮定法）は特別な
形を使うので、ここでもう少し基本的なことを述べておきましょう。
希望や実際の事とは異なる状態を述べるときは、上記 3. のルールの
ように主語が単数でも、is とか am でなく were を用います。要求し
たり命令したり決意を表す場合は、動詞の be または現在形を用いま

す。次のLesson 177, 178でその使い方を学んでください。

[練習問題]
(1) もし電話がきたら不在だと言い (tell) なさい。
(2) もし宅配便 (parcel service) が品物を配達し (deliver) たら運転手に請求額 (bill) を払いなさい。
(3) 僕が君だったらそんなところへは絶対に行かないね。
(4) 日本がもっと広か (larger) ったら、こんな悲劇は起こ (happen) らなかったでしょう。
(5) もし今夜雨が降ったら、われわれの計画 (plan) はお流れ (wash away) だ。
(6) あなた、もし気分が悪い (do not feel well) のなら会社に電話してお休みになった方がいいわよ。
(7) あなたの留守中にもしこの子が病気にでもなったら (病気になる = become sick, fall ill)、どうしよう。
(8) もし奥さんに見つかったらどうするんだい。
(9) パチンコ (pinball machine) をして二、三万円損をし (lose) てもかまわない (not mind) さ。
(10) タクシーに乗ったらいくらぐらい掛かる (cost) だろう。

83. demand, advise, suggest は強い動詞

Lesson 177

「要求する」(demand)、「忠告する」(advise)、「提案する」(suggest) といった動詞は非常に表現が強い動詞なので、その次に続く文章は、主語のいかにかかわらず現在形を用い、第三人称の単数でも「s」なり「es」を省きます。

[例題]
I demand that Mr. Mathews resign at once.
　（私はマシューズ氏が直ちに辞職することを要求します）
I advise that you calm down.
　（あなたが冷静になるよう勧めます）

I suggest that Mr. Mathews speak at this time.
  （私はマシューズ氏がここで発言するよう提案します）

Do you demand that I resign because I suggested that you resign?
  （私があなたに辞職するように提案したので、あなたは私に辞めろと要求なさるのですか）

I suggest that Mr. Mathews sit down and that Mr. Walter explain his reasons.
  （マシューズ氏に着席していただいて、ウォルター氏がその理由を説明されるよう私は提案します）

Mr. Walter demanded that Mr. Mathews resign at once.
  （ウォルター氏は、マシューズ氏の即時辞職を要求しました）

Did you suggest that Mr. Walters resign?
  （あなたはウォルター氏に辞めるように提案したのですか）

advise が「誰だれに忠告する」のように目的語を伴う場合には、上の形とは異なり次のようになります。

I advise you to rest more.
  （あなたはもっと休養を取ることです）

He advised me to stop smoking.
  （彼は私にたばこをやめるよう忠告しました）

Will you advise me on a certain problem?
  （ある問題に関してあなたに助言をいただきたいのですが）

注　advise の名詞は advice。語尾の s が c になるので注意してください。また、語尾の発音も se [z] から ce [s] になります。

[練習問題]
　(1) 私は山本氏に私にすぐ支払うよう要求します。
　(2) われわれは議長（chairperson）が会議を閉会する（adjourn）よう提案します。
　(3) あなたは私の息子がアメリカに留学す（study）べきだと勧めるのですか。
　(4) 食事を減らす（eat less）よう私はあなたに勧めます。
　(5) 社長が木村課長に北海道へ行くよう要求しました。

書く英語・基礎編

84. it is necessary that... の形

Lesson 178

「～は必要である」とか「～は重要である」と決めつけるような表現も、前の Lesson 177 と同じような動詞の使い方をします。まず「～が必要な」を使った例題を見てください。

[例題]
　It is necessary that you go at once.
　　（あなたはすぐ出掛けるようにしなさい）
　It is necessary that I fax this message to him.
　　（僕はこの伝言を彼にファックスしなくちゃならないんだ）
　It is necessary that he see Mr. Watanabe.
　　（彼が渡辺さんに会うことは必要です）
　It was necessary that Miss Young be dismissed.
　　（ヤングさんに辞めてもらうことは必要でした）
　Is it necessary that Goro take the 7:30 train?
　　（7時30分の列車に五郎さんが乗る必要があるのですか）

　注　ここでも he see, Goro take のように第三人称単数の「s」は省きます。

上の例文は、それぞれ次のように書き換えることもできます。
　It is necessary that you go at once.
　＝ It is necessary for you to go at once.
　＝ You must go at once.
　It is necessary that I fax this message to him.
　＝ It is necessary for me to fax this message to him.
　＝ I must fax this message to him.
　＝ I must fax him.
　It is necessary that he see Mr. Watanabe.
　＝ It is necessary for him to see Mr. Watanabe.
　＝ He must see Mr. Watanabe.
　It was necessary that Miss Young be dismissed.
　＝ It was necessary for us to dismiss Miss Young.

= Miss Young had to be dismissed.
Is it necessary that Goro take the 7:30 train?
= Is it necessary for Goro to take the 7:30 train?
= Does Goro have to take the 7:30 train?

こうして書き換えてみて、何が明らかになったかというと、私たちの書く英語もだいぶ口語体から文語体になってきたということです。つまり Does Goro have to take the 7:30 train? は、会話の形ですが、Is it necessary that...? は、かなり文語的な表現だからです。

そのほか important, essential などはいずれも「大切な」とか「重要な」の意味ですが、necessary の場合と同じ使い方をします。

[例題]
It is essential that I pass this test.
（この試験に合格することは私にとって重要な〈欠くべからざる〉ことなのです）
It is important that he be here by ten o'clock.
（大事なことは彼が10時までにここへ来るということです）
ただし、このような表現は最近だいぶくだけてきて、It is important that he gets here by ten. というようにも言い、また書くようにもなりました。この本では、一応元の形で進めていくことにします。

[練習問題]
(1) 君はどうしても (anyhow) 今行かなければならないのかい。
(2) 私はこの広告文 (copy) をきょう中に書き上げ (finish) なければなりません。
(3) 父が病院に行って診察し (examine) てもらうことは絶対に (absolutely) 必要です。
(4) わが社がこの契約 (contract) を山下会社と結ぶ (sign) ということは大切なことなのです。
(5) あなたが彼女に会うことはそんなに (so) 大事なことだったのですか。

85. unless の使い方

Lesson 179

次は unless という語の使い方です。前に、Get up at once or you will miss the train.（今すぐ起きなさい、さもないと電車に乗り遅れますよ）という形を習いました。これは次のように書き換えることができます。

   Unless you get up at once, you will miss the train.
unless が必ず文の最初に来るのが、この形の特徴です。

［例題］
 Unless you pay me at once, I will report you to the police.
  （今すぐ払わないと警察に通告しますよ）
 Unless I enter college this year, I have to look for a job.
  （今年大学に入学しないと私は職を探さなければなりません）
 Unless you put more water in it, it will burn.
  （もっと水を入れないと焦げますよ）

［練習問題］
(1) もっと一生懸命勉強しないと大学に入れませんよ。
(2) 大酒（heavy drinking）をやめないと病気になりますよ。
(3) すぐ（right away）来ないと幸子さんは出掛けてしまいます。
(4) この仕事をすぐに（soon）終えないとナイター（night game）が見られない。
(5) 英語をマスター（master）しないと何にもなりません（amount to anything）。

86. able という語

Lesson 180

able という語は、形容詞の中でも特別な言葉で、be または been と一緒になって「～できる」という意味を表します。can（Lesson 88 参照）は、現在または簡単な未来のことは言い表せますが、過去形や完

了形になるとお手上げです。can には could という過去形があるにはありますが、この could は厳密に言うと、必ずしも過去のことばかりに使われないので、混乱を招くおそれがあります。それで、はっきり「できた」という過去や完了の状態を書こうと思ったら、どうしてもこの able に登場してもらわないと用が足りません。

まず can, could を使った例文から見ていただきましょう。

  I can pay it.　　　　　　（それを私は払えますよ）
  I can see you tomorrow.　（あすはあなたに会えます）
  I could not do it yesterday.
   （きのう私はそれができませんでした）
  Could you do it for me next week?
   （来週それをしていただけますか）

 注　Can you do it for me next week? でも同じですが、Could を使うともっと丁寧な言い方になります。

  Could you have done it if it had not rained?
   （雨が降らなかったらそれをお出来になったのですか）

以上のように、could にはやや複雑な意味が含まれています。この煩わしさを解消してくれるのが、be able to の語句です。しかも、未来も何でも書くのに使えるので便利です。

[例題]
  Will you be able to finish it by tomorrow?
   （あすまでに仕上げていただけるでしょうか）
  She will be able to come the day after tomorrow.
   （彼女はあさっては来れるでしょう）
  Are you able to bake an apple pie? Why don't you bake one?
   （あなたはアップルパイを作れるのね。それじゃ作ったら）
  I am not able to lend you money now.
   （今君に金を貸す力は僕にはないよ）
  He was able to run faster last year.
   （彼は去年はもっと速く走れた）
  Were they not able to avoid the clash?
   （あの人たちは衝突が避けられなかったのですか）

Why were you not able to call me yesterday?
（あなたはなぜきのう私に電話できなかったの）

I have been able to read without glasses, but now I can't.
（これまで眼鏡なしに字が読めたのに今は駄目だ）

can に否定の cannot (*Lesson* 89 参照) があるように、able には unable という否定語があり、これもなかなか便利な言葉です。

If you are unable to go today, will you be able to go tomorrow?
（きょう行けないのでしたら、あすは行けますか）

All these years I have been unable to sleep well, but now I am perfectly able to.
（長い間よく眠れなかったのに、今は実によく眠れるようになりました）

注　able to は able to sleep を略したものです。

[練習問題]
(1) 来年は日本にお出でになれるでしょうか。
(2) 私の弟はずっと英語が話せなかったのに、今では完全に話せるようになりました。
(3) 彼はそんなことができるような男じゃなかった。
(4) 彼女は夫に会えませんでした。
(5) なぜ幸子さんは本当のことが言えなかったのかしら。
(6) あなたのおっしゃることがよく聞こえませんでした。(「あなたのおっしゃること」は、「あなたを」と書きます)
(7) もうこれ以上 (any more) 食べられません。
(8) 彼女はどうして私の住所を知る (find out) ことができたのだろう。

第3部　　総合練習

　ここで総括的な練習問題をしていただきます。問題に取り組むに際して、大切な点を挙げておきます。

1. 日本語の文章にこだわらないこと。
2. 日本文の語順にこだわらないこと。
3. 直訳しないこと。
4. 日本語の意味をよく把握すること。
5. 既に習った英語の文体や文の形をなるべく利用すること。
6. 名詞の単数・複数の変化、動詞の変化などについて、確信のないときは辞書を引くこと。
7. 単語の綴りに自信のないときは辞書を引いて確かめること。綴りがわからないと辞書が引けないという人がいますが、単語の大体の綴りがわかれば、その綴りの辺りをアルファベット順に探して見つけます。
8. 和英辞典はなるべく大きなものを用い、ぴったり意味の当てはまる言葉を探すように努力すること。小さい辞書では選択範囲が狭いので適当な言葉が見つからない場合が多い。
9. 単語を途中で切らないこと。もし長い単語がどうしても一行に収まらないないときは、次の行に書くこと（長い単語の切り方については『書く英語・実用編』参照）。
10. 解答はこの本の後に出ていますから、自分の書いた文（ワープロ入力してある場合はプリンター出力）と解答を照らし合わせ、違っていたら赤ペンで訂正を加えること。それが一通り済んだら、解答を見ずに、もう一度最初から練習問題に取り組み、再び照らし合わせてみること。完全にできるまで何回もやり直すところに練習の意義があります。

　では、次頁の日本文に書き表されている意味を英語で書いてください。

私の家族

　(1) この写真 (photograph) をどうぞ見てください。(2) 私の家族の写真です。(3) 真ん中に (in the center) いる男の人が私の父です。(4) 名前は松山一郎で、国家公務員 (government official) です。(5) 法務省 (Ministry of Justice) に勤めております。(6) 仕事に熱心な人です。(7) うちではあまり (seldom) 口をききません。(8) 彼の唯一の趣味は庭いじり (gardening) です。

　(9) こちらは私の母です。(10) 非常に個性的な人です。(11) 英語とスペイン語が読めます。(12) 英会話 (会話する = converse) はとてもうまいものです。(13) ピアノを弾きます。(14) ダンスもとても得意です。(15) スタジオ (studio) を持っていて、そこでピアノとモダンダンスを教えています。(16) クラスがかなりたくさんあります。(17) レッスンはすべて午後6時には終わります。(18) 父は音のするものが嫌いです。

　(19) これは私の一番上の兄です。(20) 彼はサラリーマン (office worker) です。(21) 2年前に大学を卒業しました。(22) 大学に在学中は野球をやりました。(23) 今は会社のために野球をやっています。(24) よい投手です。(25) プロ野球の選手になることはないでしょう。(26) 会社の仕事が気に入っています。(27) 彼には婚約者 (fiancée) がいます。(28) 秋 (the fall) には結婚の予定です。

　(29) これは姉です。(30) まだ大学生です。(31) 母に似て語学の達人 (linguist) であり、音楽家 (musician) です。(32) 英語は母より上手に話します。(33) クラス中で英会話は一番得意です。(34) 外交官のところへお嫁に行く希望です。(35) イギリスかアメリカに住みたいそうです。

　(36) これは私の弟です。(37) 弟については何と言ったらいいかな。(38) 年は14歳です。(39) 音楽が嫌い (hate) です。(40) 勉強が嫌いです。(41) 学校ではサッカーをやっています。(42) 将来

(someday) プロの選手になりたいそうです。(43) 政治家になるかもしれません。(44) 私には何とも言えません。(45) 父は医者になってもらいたいらしいのですが、医大 (medical college) の入試には受からないでしょう。(46) 弟には難し過ぎると思います。

(47) 私は何になりたいかって。(48) それは言いにくいですね。(49) 私は商売 (business) に興味があります。(50) 商売は面白いと思います。なぜなら、お金をもうけることができますから。(51) あなたのお考えはどうですか。

(52) これは私の妹です。(53) 10歳です。(54) 看護師になりたいそうです。(55) 人の世話をする (take care) のが好きなのです。(56) 二、三週間前に近所のお母さんが病気になりました。(57) 妹は毎日見に行きました。(58) 病人 (patient) の脈 (pulse) を取りました。(59) 熱 (temperature) を計りました。お医者さんをじっと見つめました。(60) 妹はきっと (certainly) 看護師になるでしょう。さもなければ、お医者さんと結婚するでしょう！

次郎アメリカへ渡る

(1) 私は山中次郎です。(2) 私は群馬県 (Gumma Prefecture) のある村 (a village) に生れました。(3) 私の父は農夫 (farmer) で、私たちは貧乏です。(4) うちには私の両親と子供が3人おります。(5) 私は12歳の時中学校 (junior high school) に入学しました。(6) 私は初めて (for the first time) 英語というものを勉強しました。(7) 私は英語がとても好きになりました。(8) 英語は私に新しい世界 (new world) を見せてくれました。

(9) うちにはラジカセ (radio cassette recorder) がありました。(10) 私はラジオを聞いて、一生懸命英語を勉強しました。(11) 私は朝と夕方のラジオの英語会話講座 (radio English conversation program) を聞きました。(12) 私は毎日聞きました。(13) 始めのう

ちは (at first) 理解できませんでしたが、あきらめ (give up) ませんでした。(14) 私はラジオ講座のテキスト (textbook of the program) を持っていませんでした。(15) 私は耳で聞いて、講師 (teacher) のまねをし (imitate) ました。(16) 私はレッスンを暗記し (memorize) ました。

　(17) 私は高等学校 (senior high school, high school) に入りました。(18) ある日、校長先生がアメリカの高校へ留学する奨学金のことについて話してくださいました。(19) 私は胸が躍り (thrill) ました。(20) 私は試験を受けるべきだろうか。(21) 家にとどまって父の手助けをすべきだろうか。(22) 私はこのこと (matter) を幾日も考えました。(23) ついに (at last) 私は父に話しました。(24) 父は私に試験を受けてみろ、と言いました。

　(25) 私は前にもまして英語を一生懸命勉強しました。(26) 朝は早くから夜は遅くまで英語を勉強しました。(27) やがて (then) 試験の日がやって来ました。(28) 前橋市へ試験を受けに行きました。(29) 約80名の男女がいました。(30) みんな優秀な (bright) 学生に見えました。(31) 私は怖く (afraid) はありませんでした。(32) 私はベストを尽くしました。

　(33) 私は試験に合格しました！(34) 最終 (final) 試験は東京で行われる (to be held) ことになっていました。(35) 最終試験の前日に私は普通列車で (by local train) 東京へ行きました。(36) 私は伯父の家に泊まりました。

　(37) 最終試験は非常に難しかったです。(38) 英会話のテストもありました。(39) 私は生まれて (in my life) 初めてアメリカ人と英語で話しました。(40) 私は家に帰って待っていました。(41) 一週間たち (pass) ました。(42) すると、通知 (notice) が来ました。(43) 私は合格しました！

　(44) 私の両親はお金をつくら (raise) なければなりませんでした。(45) 少なくとも (at least) 30万円はつくらなければなりませんでした。(46) 私の兄も姉もみんな助けてくれました。(47) ついに30万円

ができました。(48) 私は旅券 (passport) の申請をし (apply for) ました。(49) 外務省 (Ministry of Foreign Affairs) は私に旅券を交付し (grant) てくれました。(50) 私は再び東京に行きました。(51) 私は米国領事館 (United States Consulate) に行って査証 (visa) の申請をしました。(52) 査証が下りました。

(53) 出発の日 (departure date) は7月1日と決まり (set) ました。(54) たくさんの日本の高校生がジャンボ・ジェット機に乗って成田をたつことになりました。(55) 私はアメリカへ渡る (departure) 前夜に (on the eve of) この文 (note) を書いています。(56) 私は両親と兄や姉の援助と理解に対して感謝したいと思います。(57) 私を励ましてくれたことに対し (for their encouragement) 学校と先生方に感謝して (grateful) います。(58) 私はこの機会 (opportunity) に対して感謝して (appreciative) います。(59) 私はこれを無駄にし (waste) ないつもりです。(60) 私は一生懸命勉強してアメリカで友だちをつくるつもりです。

ある手紙

(1) ご機嫌いかがですか。(2) 私はいたって元気です。(3) 1週間も手紙を書きませんでしたが、あなたのことは考えていました。(4) きのうメールをいただいたので、この手紙を書く勇気 (courage) が出たのです。(5) これは普通の (ordinary) 手紙とは違います。(6) 終わりまで読んで返事 (answer) を下さい。

(7) これで私も1年間日本から離れていることになります。(8) 私の研究 (study) も終わりに近づき (near an end) つつあります。(9) 来月は日本に帰ることになるでしょう。(10) この12カ月、私の日本での将来について考えてきました。(11) 私は技術者 (engineer) で、帰国後は都市工学 (urban planning) の分野 (field) で働くことになると思います。(12) 私の生涯は面白くてたまらない (exciting)、ということはないけれど、誰かを幸福にする (make happy) ことはできる

つもりです。(13) その誰かが (that person) あなたであってほしいのです。(14) 私は以前から (always) あなたが好きでした。(15) 故郷から離れて生活していることによって (being away from home)、私はあることを教えられました。(16) 私の生活はあなた無しでは空虚 (empty) なものです。(17) あなたをとても愛しています。

(18) 私はあなたを幼少時代 (childhood) から知っていました。(19) 私たちは兄妹のような (like) ものでした。(20) 私たちの家族は仲のよい隣同志 (good next-door neighbor) でした。(21) あなたのお父さんも技術者でした。そして多分 (perhaps)、そのことが私に影響し (influence) たのでしょう。(22) 私の父の死後、あなたのお父さんは私にとっては父親も同然でした。(23) あなたのお母さんと私の母とはよい友だちでした。(24) 私たちはきっと (sure) うまくやっていけ (get along) ます。

(25) この12カ月間私はあなたに会えなくてとても淋しい (miss terribly) 思いをしました。(26) あなたのことは考えまいと随分努力してみました。なぜなら、私は私の研究 (project) に神経を集中 (concentrate) しなければならなかったからです。(27) しかしそれは無駄 (futile) でした。(28) あなたは私をよく知っています。(29) 真実の気持 (real feelings) は隠さ (hide) ないことにしましょう。(30) あなたは私を愛してくれますか。(31) お手紙を下さい。そして偽りのない (honest) お返事を下さい。

シカゴ (Chicago)

(1) シカゴはイリノイ州 (state of Illinois) の商業都市である (commercial capital)。(2) イリノイ州の北東 (northeast) の隅に位置し (locate)、ミシガン湖 (Lake Michigan) の南西部 (southwest) に面し (lie) ている。(3) アメリカ合衆国第三の大都市である。(4) 人口 (population) は約280万である。(5) 産業 (industry) と商業 (commerce) の一大中心地 (a great center) である。(6) 数多くの鉄

道路線（railway lines）と民間航空路線（commercial airlines）がシカゴを終着地（terminal）としている（make）。(7) オヘア国際空港（O'Hare International Airport）は、航空機の発着が世界で最も多い空港の一つ（one of the world's busiest airports）として広く知られて（well-known）いる。(8) シカゴはまた博物館や美術館（museums）、巨大な公園や美しい湖岸（shoreline）で有名である。(9) シカゴが二つのプロ野球チーム、シカゴ・ホワイト・ソックス（White Sox）とシカゴ・カブス（Cubs）の本拠地（home）であることは知られている。(10) シカゴ大学は世界で最も重要な大学の一つであり、原子爆弾（atomic bomb）の生まれた所（birthplace）でもある。

翻訳問題：旅行ガイドの試験

(1) 十和田湖（Lake Towada）に行かれたことはありますか。(2) いえ、まだです。この秋は紅葉（colored leaves）を見に行きたいと思っています。(3) 戦前に（in prewar days）約600万円の費用を掛けて（at the cost of）建設したこのホテルは、延べ（total floor space）6,500坪（*tsubo*）あります。

注　この「坪」は、一応 tsubo（単複とも。イタリック体にするかアンダーラインを引く）と訳し、その後に One tsubo equals about six square feet. と付け加えるとよいでしょう。

(4) 世界は一つ（united）と、多くの心ある人（those who think）は言います。(5) 今日では航空機（airplanes）の発達（develop）によって、世界一周（go round the world）が二、三日で可能に（possible）なりました。これは喜ぶべき（gratifying）事実（fact）です。(6) しか

注　こういう文章は次のように区切って書くとよいでしょう。今日では非常に速い航空機が発達しているので、世界を二日か三日で回ることが可能です。これは喜ぶべきことです。

し現実は、世界は共産主義国（communist nations）と民主主義国（democratic nations）の二つに分かれてい（divide）ます。(7) この

二つの世界 (two groups) が戦争する (go to war) か否か (whether... or not) が、これまでの最大の問題でした。

　注　共産主義は、思想を意味するなら communism と小文字で書き、国とか党を意味する場合には大文字で書きます。

　(8) 京都、奈良、鎌倉といった歴史的な (historic) 所 (place) は、博物館的 (like museum) 存在です。しかし、私たちが秩序ある情報 (well-organized information) を短時間で得られるだけの設備 (facilities) を持った美術館 (art museum) は数えるほどしかありま

　注　「だけの」は訳す必要ありません。「設備」も一応 facilities (複数) としておきました。

せん。(9) 日本に来る外国人は、日本を浮世絵の版画 (*Ukiyoe* print) のような国と思っています。(10) ところが浮世絵の美術館一つありません。(11) これでは観光に来る外国人をがっかりさせる (disappoint) に決まっています。(12) 外国の客船 (passenger ship) は他の港に寄らなくて (do not anchor at) も、横浜と神戸へは必ず寄ります (never fail to call at)。(13) わずか一日でも寄港すれば、乗客 (passenger) は上陸します (go ashore)。(14) ところがその地にそのような美術館が無いのです。(ところが＝そうはするものの＝even so)

　注　「決まっている」も訳す必要はありません。

夫　婦

　(1) 私の妻は去年のクリスマスに、私のイニシアル入り (initialed) のボールペンをプレゼントしてくれた。(2) それまで私はよいペンに当た (come across) ったことがなかった。(3) ところが、妻のくれたボールペンは不思議と (amazingly) よく書ける。(4) どこで買ったのかと聞いてみたら、「デパートです」との返事であった。(5) もちろんデパートが特に (especially) よかったわけではないだろう。(6) 特

に有名なブランド（brand）であったわけでもない。(7) 値段はかなり高価（high）である。(8) しかし私だって以前にそれくらいの（at about the same cost）ペンは買ったことがある。(9) そうすると、このペンの特別なよさというのは何だろう。

(10) 妻と私は、よく同じことを考えている（think alike）ことがある。(11) 私がコーヒーが欲しくなると、ちゃんと作ってくれる。(12) 疲れたころになると（just when）「散歩に行きましょう」と誘う（urge）。(13) しかし、一番驚く（amazing）ことは食事の献立（menu）である。(14) 外出中によく今夜はカレー（curry and rice）が食べたいと思うことがある。(15) 電話しようと思っているうちに、忙がしくて忘れてしまう。(16) 家に帰って玄関の戸（front door）を開けた瞬間カレーのにおいがする。(17) こんなときは（in such cases）思わずにっこりしてしまう。

注　「にっこりしてしまう」は、smile を抑えられない＝ cannot help smiling と書きます。

(18) 私は以前よく胃が痛ん（stomachache）だ。(19) これは外食（have meals out）が多かったためである。(20) しかし結婚してからというもの、ほとんど病気らしい病気をしたことがない（rarely）（ほとんど病気になったことがない）。(21) 薬もほとんど飲まなく（scarcely）なった。(22) 規則正しい生活（orderly life）と心の平和（peace of mind）が私の健康の秘訣（secret）である。

(23) 私たちは一つの不文律（unwritten law）によって行動している。(24) 常に居所を明らかにしておくということである。(25) 私は帰りが遅れるときは必ず電話をする。(26) 妻は買物に行く日には、どこどこへ行って、何時には帰宅しているということを知らせてくれる。(27) 夜は外出しないことを原則（a rule）としている。(28) 私は不意の（unexpected, uninvited）客（company）は連れて来ない。(29) 私の友人は妻の友人であり、妻の友だちはまた私の友だちでもある。(30) 従って（therefore）、友だちを訪問するときはいつも一緒である。

(31) 私たちには子供が無い。(32) 友人たちは淋しいだろうと言う。(33) 中には養子をもら（adopt a child）ったらどうだと勧める

(suggest) 人もいる。(34) しかし私たちは少しも淋しくない。(35) その主な理由は、できるだけ行動を共にするからである。(36) また私たちはいろいろな物 (たくさんの = a lot) を読むが、同じ物は読まない。(37) 妻は週刊誌 (weekly magazine) や新聞を丁寧に (thoroughly) 読むが、私は外国の雑誌や本を読む。(38) 私たちは散歩しながら読書で (through reading) 得た知識 (knowledge) を交換する (exchange, swap)。(39) 私たちは他人のうわさ (gossip) をしないことにしている。(40) 私たち共通の (お互いの = mutual) 友だちも批判し (criticize) ない。(41) 友人というものは、私たちの幸福に無くてはならないと考えるので (for, because)、われわれの友を疑わしい人物 (questionable characters) などと思う (consider) のは、ばかげたことである (foolish of ourselves)。

(42) 夫婦間の金銭問題 (money problem) は紛争 (conflict) の種 (cause, seed) になるものである。(43) 私たちはそれを次のようにして (in the following manner, in this way) 解決している。(44) 私は著述を職業 (writing profession) としているので、収入 (income) は不定 (irregular) である。(45) すべての収入は妻の手に渡り (go into)、私は毎週定額 (fixed sum) のお小遣い (spending money, allowance) をもらっている。(46) 妻は家計簿 (books) をきちんと付けている (keep)。(47) 私は月に一度それを見るだけで十分 (satisfy) だと心得ている。(48) お金が足りなくなる (short) と、妻は私に赤信号 (warning) を与えてくれる。(49) 大体何とか間に合っている (doing well) とみえて、あまり催促 (remind) は受けない。(50) よくやっていてくれる (good management) と私は感謝し、妻を尊敬 (respect) している。

(51) 私の妻はぜいたく (luxury) をしたがらない。(52) 必要なもの (necessities) さえあれば、それで満足していてくれる。(53) こう言うと、人は妻に甘い (too nice to) と思うだろうが、決してそうではない (by no means)。(54) 妻は私に絶対服従で (obedient) ある。(55) その代わり (in return)、私も妻の希望は可能な限り (as much as possible) かなえて (grant) あげる。(56) お互いの感情的な行き違い (emotional difference) は愛情 (love, affection) で解消 (resolve) している。

第３部　総合練習

　(57) 夫婦間には共通の (in common) 娯楽 (recreation) も必要である。(58) 例えば (for instance) テレビ番組では、ときどき私の見たいものと妻の好きなものとがぶつかる (conflict with)。(59) 野球のナイターの番組などはそれである (an example)。私はそれが見たい。(60) 妻は映画が好きである。(61) それで、私は隔週 (every other week) に自分の好きな番組を見るとか、時間割り (allotted time system) にしたりしている (go by)。(62) もっとも (and yet) 近ごろは、妻も野球が好きになってきたので、始め (beginning) から終わり (end) まで野球を見ることが多くなった。(63) 終わりまで見ることができないとすれば、それはテレビ局 (station) の愚かさ (stupidity) が原因である。

　(64) 私たちの一番好きな (favorite) 娯楽と言えば旅行 (traveling) である。(65) 妻は写真を撮る (take pictures) のが好きで、どこへ行くにもカメラを持っていく (carry)。(66) われわれが今まで行ったことのない所を選び、丹念に (careful) 計画を立てる (make plans)。(67) １年に一度大きな (long) 旅行をし、月に一度小さな旅行をする。これが私たちの理想 (ideal) である。(68) 旅行は単なる遊びではなく (not only a pleasure but)、私の仕事 (work) の取材 (material) になるので、「娯楽を兼ねた仕事」("business with pleasure") でもある。(69) これまでに私たちは北海道、佐渡、九州、東海地方、瀬戸内海などの各地へ行った。(70) 四国もできれば (if possible) 行ってみるつもり (intend to) で、またいつかは海外 (abroad) にも行ってみたい。

　(71) 私は別に有名に (famous) なるとか偉く (influential) なろうとか望んでいない。(72) 毎日を平和で楽しく送る (live) ほかに (any more than) 望みがない。(73) 知識人 (intellectual) であるからには、社会 (society) に貢献し (contribute, make a contribution) ようと願って (wish) はいる。だが、別に他人 (others) を自分に同調させ (agree) ようとは決して思っていない。(74) むしろ (rather) 人々が幸福に暮らせるように努力をしている (make efforts)。(75) けれども、社会を改良し (reform) ようとしている (be trying to) のではない。(76) 社会の改良は社会科学者 (social scientist) や政治家の仕事 (business) とするところである。(77) 同様に (in the same manner)、外交 (foreign affairs) は外交官にやってもらう (be dealt with) べきであり、病気 (ailments) は専門の医師 (medical specialist) に治療

して（be cured by）もらえばよいのである。(78) 私の目標（goal）は、私の小さな努力によって（through）日本が外国の人々によく知られる（better known）ようになる、ということだ。(79) それには結論として（can be summed up）——私は日本のことを英語で書かなければならない、ということである。

(80) 妻は私の職業を理解して（understand, sympathize）くれる。このことが、私にとっては何よりの幸福である。(81) 妻は私の仕事のためには、自分の欲望（personal desire）を犠牲（sacrifice）にする。(82) しかし私は、それを一度も実際に（actually）要求し（demand）たことはない。(83) 彼女は、私が仕事をしている時（while）はいつも家にいて、外部から（from the outside）邪魔（interruptions）されないようにして（block）くれる。

(84) 人間（man）は幸福でなければよい仕事はできない。(85) よい仕事のできる人間は幸運（lucky）である。(86) 私は、私たちの幸福を失いたくない。(87) 結局（after all）、私は妻のために生き、妻は私のために生きているのである。(88) われわれ二人がこう思っている限り（as long as）、われわれの結婚の破たん（fail）などはあり得ないであろう。(89) 私は若い人たちに次のことを勧める（advise）：(90) 結婚はゆっくり（late）でよいと。(91) なぜなら人間は一度しか生きないからだ。(92) 結婚は人生（life）の大部分（the greater part）を占める（take up）のである。(93) まず（first of all）自分自身（yourself, oneself,）をよく知るべきである。(94) 自分自身を知らずして自分にふさわしい結婚相手（right partner in marriage）を見出せる訳がない。(95) 結婚の相手を選ぶには数多くの異性（members of the opposite sex）とも交際し（associate）なければならない。(96) 異性の友だちと交際するには、一対一（single date）ではなく複数の方がよい（find safety in numbers）。(97) 恋愛（love）は最後の最後まで（to the very end）延ばし（put off）た方がいい。(98) しかし、これと決めたら（once you have made up your mind）一日も早く（as soon as possible）結婚すべきである。(99) 見合い結婚（arranged marriage）も捨てたもの（all wrong）ではない。(100) しかし、見合い（first meeting）と婚約（engagement）との期間（period）は長く、婚約と結婚との間は短かくした方が賢明（wise）である。(101) 見合い

から婚約までの期間は純然たる友だち付き合い (genuine friendship) にしておくべきで、そうすれば、必要あればいつでも (whenever) 婚約 (the promise) を断わる (break off,. cancel) ことができる。(102)

注　「おくべき」にこだわらないこと。

外国には「自分より低きと結婚せよ」("Marry beneath yourself") という格言がある。(103) 意味深長な (meaningful) 戒め (admonition) である。参考まで (for your benefit) に引用し (quote) ておく。

とりとめのない少年の思い

　(1) 僕は高校の2年生なんだ。(2) 年は17歳である。人は危険な (dangerous) 年齢 (age) だと言う。(3) 自分は別に乱暴な (violent) たち (nature) ではないさ。(4) でも、自分の頭と体の中にはものすごい (enormous amount of) 有り余る (surplus) エネルギー (energy) で満ちて (stored) いることは否定で (deny) きない。(5) もちろん僕は一生懸命勉強している。(6) 来年はどこかの大学 (college, university) に入ら (enter) なければならないからだ。

　(7) 僕の父は大学教授 (college professor) だった。(8) 父は頭のいい (bright) 人だったので、実業界 (business world) に入っていたら金持ち (rich man) になっていただろうな。(9) 父は遺産 (inheritance) も残さず5年前に死んでしまった。(10) それ以来、僕は母と二人きりで何とか (somehow) 暮している。(11) 母は中学校 (junior high school) の教師をしている。(12) だから僕にも学校の教師になれと言う (advise)。

　(13) しかし僕は本当は運動の選手 (athlete) になりたい。(14) 今こうして勉強していても (even as) 自分自身は運動したくてたまらない。(15) 野球部 (baseball club) に入部 (join) できていたらよかったと思う。(16) 野球部などに入ったら、お金が掛かってしょうがないというのが母の反対 (objection) の理由 (reason) だ。(17) 野球の選手

になって、卒業と同時に（upon graduation）プロに入っ（turn professional）たとする（suppose）。(18) 大観衆（big crowd）の入った大きな球場（stadium）でホームランを打つ。(19) 観衆（audience）が拍手する（applause）中を（while）ホームインする（score）。(20) 試合は翌朝の新聞にでかでかと書き立てられる（write up in big letters）。(21)「山本逆転（come-from-behind）満塁（bases-loaded）さよなら（game-ending）ホームラン！」のようにね。(22) 愉快だ（wonderful）ろうな。

(23) しかしこれは単なる夢に過ぎない（nothing but）。(24) 僕はなぜ大学に行って学位（academic degree）を取って平凡な（ordinary）サラリーマンにならなければならないのだろう。(25) どうして自分で自分の運命（destiny, fortune）を開拓し（look for, seek）てはいけないのだろう。(26) 野球はあきらめる（give up）としても（even if）何か同じように素晴らしい（exciting）ことはないものかなあ。(27) 政治（politics）はどうだろう（what about）。(28) 外務大臣（Minister of Foreign Affairs）になれば日本の外交（diplomacy）を担う（undertake）ことになる。(29) 国連（United Nations）の総会（General Assembly）で演説をする（make a speech）。(30) この演説が世界を重大な危機（serious crisis）から救う（save）のだ。(31) 僕は全世界の人々から感謝される。(32) こんなことも全然悪くない（not bad at all）な。

(33) しかし政治家（statesman＝いい意味の）も楽（easy）じゃないらしい。(34) まず第一に国会議員（member of the Diet）になるだけでも大変（not an easy task）だ。(35) 選挙運動（election campaign）はすごくお金が掛かる。(36) 落選（lose the election）したら目も当てられない（miserable）。(37) 暗殺され（assassinate）ないという保障もない（there is no guarantee）。(38) 栄光自体（glory itself）に危険（danger）は付き物（constant companion）なのさ。(39) まあ将来のこと（my future）はゆっくり（take time）考えることにしよう。

(40) ああ、おなかがすいたなあ。(41) 晩ご飯の時もっと食べておけばよかった。(42) テレビで見る鈴木マリはかわいいなあ。(43) 今

会えたらいいんだがなあ。(44) 会ったとしても僕にとって (as far as I am concerned) は「高嶺の花」(beyond my reach) さ。(45) 同級生 (classmate) の内村由美は鈴木マリにちょっと似ているな。(46) あの子の父親は何をしている (profession, occupation) んだろう。(47) もっと口を効いてくれるといいんだがなあ。(48) 彼女のことを考えるのはもうこのぐらいにしておこう (it is enough)。(49) 眠れなくなるかもしれない (I am afraid) からな。(50) あすの朝ご飯まで寝ることにしよう。

姉妹の会話

姉：きょうはどこへ行ってきたの。
妹：ちょっと渋谷まで買物に。
姉：あらそう。私も一緒に行けばよかった。
妹：大したもの無かったわ。
姉：何か当てがあって行ったんじゃなかったの。
妹：別に。ただブラッと行ってみただけよ。
姉：それにしては長かったわね。
妹：そうかしら。
姉：何か見た。映画でも。
妹：見なかった。だって見たいもの無かったんだもん。
姉：じゃ何か食べた。
妹：うん、ちょっと喫茶店に入ってね。
姉：一人で。
妹：そうよ。
姉：渋谷に行ったにしては靴が随分汚れているわね。
妹：なぜそんなこと言うの。
姉：だって、さっき見たらあなたの靴に泥が付いていたから。
妹：靴に泥が付いていちゃ悪いの。
姉：でも変だな。まるで川の岸でも散歩したみたい。
妹：姉さんは何か私を疑ってるんじゃない。
姉：さあ、どうかしら。

妹：それはどういう意味なのよ。
姉：じゃ言うわよ。きょうは日曜なのに雅夫さん家にいなかった。
妹：そりゃお気の毒さま。
姉：留守の人に聞いたら、多摩川の方へいらっしたとか言ってた。
妹：それで、私とでも一緒に行ったと思ってるのね。
姉：そうよ。
妹：じゃ言います。行きましたよ。
姉：ほれごらんなさい。あなたはどうしてそんなことをするの。
妹：雅夫さんに誘われたからよ。悪い。
姉：わかっているくせに。
妹：姉さんだからって、雅夫さんを独占する権利ないよ。別に婚約しているわけじゃないでしょ。
姉：でもひどいわね。
妹：ひどいと思うなら、雅夫さんに言ったらいいじゃない。
姉：小さい時からあんなにかわいがでやったあなたに、こんなことされるなんて。
妹：それとこれとは別。姉さんが悪いのよ。
姉：私が悪いんですって。何が悪いのよ。
妹：それは言えない。
姉：言おうと思えば言えるでしょう。
妹：言おうと思わないわね。
姉：あなたはどうしようもないはね。
妹：姉さんと議論していてもしょうがないわ。私は私の道を行くだけ。
姉：ああそう、でも交通規則を守ってちょうだいね。
妹：姉さんの知ったことじゃないです。
姉：どういうことよ。どういうことかはっきり言ってもらいます。
妹：ええ、言ってあげるわ。雅夫さんはもう姉さんには会わないって言ってた。
姉：うそ！うそよ。あの人がそんなこと言うわけがないもの。それはきっとあなたの作り事よ。
妹：そうかな。そう思いたけりゃそう思っていてもいいさ。
姉：自分で会って雅夫さんに聞くことにする。
妹：どうぞ。
姉：それで一体あなたはどうするつもりなの。
妹：私たちはただの友だちさ。どうせ雅夫さんは来月はロンドンに行

ってしまうんだから。社長さんのお嬢さんをお嫁さんにもらって。雅夫さんはただそれを私から姉さんに伝えさせるために私を呼んだだけよ。そこまでわかったんだから、さっきのこと言ってあげる。雅夫さんが姉さんをあきらめたのは、みんな姉さんの責任よ。給料が上るまで待ちましょう、なんて言うからじゃない。雅夫さんは姉さんが体一つで飛び込んで来るのを待っていたのに。

【数日後】

妹：あら、どこへ行ってたの。
姉：ちょっとそこまで。
妹：それにしちゃ随分長かったわね。
姉：もう正直に言うわよ。私、雅夫さんに会ってきたの。
妹：まあそう。それで。
姉：あなたって意地悪ね。この間のことみんなでたらめじゃない。
妹：ばれたか。
姉：そうよ。あれ二人のお芝居だったのね。
妹：もちろん。それでうまくいった。
姉：おかげさまでね。私、彼を受け入れることにしたの。それで、雅夫さんのご両親にも会った。うちのお父さんもお母さんもきっと安心するわね。
妹：よかった。
姉：さあ、食事をおごるわよ。二人きりで銀座へ行こう。一緒に出掛けるのは久しぶりだものね。

解答の部

第1部　単　文

Lesson Number:

3. (1) I am Kenichi. (2) I am Naomi. (3) I am Masahiro. (4) I am Sachiko.

4. (1) Kenichi Suzuki (2) Naomi Matsumoto (3) Masahiro Koyama

5. (1) I am a doctor. (または physician) (2) I am a professor. (3) I am a merchant. (または businessman) (4) I am a baseball player.

6. (1) Are you a nurse? (2) Are you an American? (3) Are you a baseball player? (4) Are you a writer? (5) Are you a pianist? (6) Are you Miss Smith? (7) Are you Mr. Taylor? (8) Are you Mrs. Ishizaki?

8. (1) It is a rose. (2) It is a button. (3) It is a needle. (4) It is a fan. (5) Is it a school? (6) Is it a calendar? (7) Is it a golf ball? (8) Is it a hat? (9) Is it a lighter?

11. (1) You are hungry. Are you hungry? (2) You are lonely. Are you lonely? (3) This is tasty. Is this tasty? (4) It is cheap. Is it cheap? (5) He is tall. Is he tall? (6) She is beautiful. Is she beautiful?

12. (1) I am very well. (2) I am very young. (3) I am very happy. (4) You are very rich. (5) You are very kind. (6) She is very clever. (7) He is very tall. (8) He is very handsome.

13. (1) _____ I am a student. I am tall. I am very well. (2) You are a businessman. You are very rich. You are kind. Are you well? (3) This is a rose. It is beautiful. It is very beautiful. (4) He is very handsome. Is he a professor? Is he a doctor? (5) I am very hungry. I am very lonesome. (6) I am a nurse. Are you a housewife? (7) This

書く英語・基礎編

is a letter. Is it a love letter? (8) English is easy.

14. (1) I work. I eat. I sleep. (2) You walk. You rest. You smile.

15. (1) I read a newspaper. (2) I like coffee. (3) You like tea.

17. (1) I have 1,000 yen. (2) I have a camera. (3) I have a sister. (4) I have a job.

18. (1) I want money. (2) I want a can opener. (3) I want a job.

27. (1) I want a handkerchief. (2) We are friends. (3) They like America. (4) Are you students? (5) I sell jewels. (6) Mr. Nehru is an Indian. (7) We are brothers. (8) Are you sisters? (9) Are they teachers? (10) Are you Japanese? (11) We have an heiress. (12) They are flight attendants (または stewardesses).

28. (1) water and oil (2) coffee and milk (3) *English and I* (4) Musashi and Kojiro (5) a fork and a knife (6) a Japanese and a Chinese (7) Japanese and Chinese (8) a pipe and tobacco (9) I want ice cream and coffee. (10) I have a brother and a sister. (11) We have a dog and a cat.

30. (1) I want a sharp knife. (2) I want fresh eggs. (3) I want a good job and a new house. (4) This is a beautiful rose! (5) You are beautiful and clever. (6) You are handsome and tall. (7) I am well and happy. (8) Are you well and happy?

31. (1) Snow White and the Seven Dwarfs (2) I have a wife and five children. (3) We have four cute cats. (4) I have two notebooks and three red pencils. (5) You have ten dollars. (6) I have many very fine teachers.

41. (1) He reads *The New York Times*. (2) She cooks tasty food. (3) The baby drinks milk. (4) The dog attacks the cat. (5) Mr. Yamamoto drinks whiskey.

46. (1) Is there a swimming pool at your school? (2) There is a gymnasium in our company. (3) There are fifty states in the United States of America. (4) There is a beautiful lake at Nojiri. (5) There are ten cigarettes in the box.

49. (1) I am Seiji. (2) Goro Yamamoto (3) I am a teacher. (4) I am an artist. (5) Are you Mr. Baker? (6) Are you Mrs. Baker? (7) Are you English? (8) It is a ticket.

解答の部　第1部　単　文

(9) It is a weekly magazine. (10) Is it a cap? (11) This is an answer phone. (12) That is a CD player. (13) Today is Saturday. (14) Is that a digital camera? (15) You are pretty. (16) Are you well? (17) This is bread. (18) Is it fresh? (19) Is he lonely? (20) I am very thirsty. (21) She is very kind! (22) Is English easy? (23) I like cocktails. (24) I want this. (25) I smell smoke. (26) We want peace. (27) We have a very cute dog. (28) His name is Pickle. (29) I have a hundred dollars. (30) I have an uncle. (31) I want my sister. (32) You like America. (33) My father is a businessman. (34) She is a musician. (35) We are college students. (36) I have two watches. (37) I see three flies. (38) There are many children in the zoo. (39) Mr. Black is a United States official. (40) I want an apple and an orange. (41) I have a very good bicycle. (42) Mrs. Yamada is a very busy housewife. (43) Your school has a new teacher. (または You have a new teacher.) (44) It is a very good movie. (45) I want a new air conditioner and a new refrigerator. (46) My father has a good job. (47) Mr. and Mrs. Thompson have a new baby girl. (48) This new car has four doors. (49) This coffee is cold. (50) I like this cat. (51) There is a red ribbon on this blue hat. (52) Your house is very big. (53) Their house is that white house. (54) My parents have a cottage in Karuizawa. (55) I like fresh apple juice. (56) This is Mr. Yamamoto's car. (57) Is this Mr. Yoshida's overcoat? (58) This is the Foreign Minister's residence. (59) He is Mr. Buck's daughter's teacher. (60) I want my driver's license. (61) There are many lions' dens in Africa. (62) The sun is out. (63) This water is dirty. (64) The name of the street is "Chuo Dori." (65) Is today Thursday? (または Is this Thursday?) (66) The bus is late. (67) My husband hates street noises. (68) My husband reads many foreign magazines. (69) He smokes and drinks. (70) He likes coffee very much. (71) She sings well. (72) He paints landscapes very nicely. (73) He is

quiet. (74) He loves me very much. (75) You work too hard. (76) There are many colleges in Tokyo. (77) There are many big farms in Hokkaido. (78) There are many fine hotels by the ocean. (79) There are many islands in Japan. (80) I have an electric heater in my room. (81) There are eight mats in this room. (82) There is a soccer game at the park this afternoon. (83) There is a class meeting at noon today. (84) There are 31 days in this month. (85) There is a big factory by the station. (86) There is a cat on the roof. (87) There is a light over your head. (88) I like books on geography. (89) We have a movie theater in our town. (90) He calls me too often. (91) You eat too fast. (92) She talks excitedly. (93) You talk arrogantly. (94) I read *the Times* of England. (95) I want one million yen. (96) Are you Chinese? (97) Tokyo and New York are sister cities. (98) Is there a personal computer in your room? (99) Is there a big swimming pool at your school? (100) Are there many cars in Japan?

52. (1) Cry. (2) Apologize. (3) Rejoice. (4) Sleep. (5) Sing. (6) Please call your office. (7) Please drink it slowly. (8) Please read the book quickly. (9) Please memorize this completely.

53. (1) Please go to the post office. (2) Walk to the supermarket. (3) Run to your school. (4) Please walk to my house. (5) Please go to your father. (6) Go back to your father.

58. (1) Come here and look at it. (2) Mary sings well. She is only twelve years old. (3) This is Brazilian coffee. My husband likes it. (4) This rose is beautiful. I like the color. (5) Go to the station and see your aunt. Bring her to the house. (6) Please put it on the desk.

59. (1) They are for you. (2) Is this good for me? (3) They feel for you. (4) This envelope is for your father. (5) Work for your wife and children. (6) Is this the train for Tokyo? (7) These Christmas cards are three for five hundred yen. (8) "Lot for sale" (9) This word processor is for sale.

(10) You hit well for a rookie. (11) Stay here for one day. (12) Hold your breath for one minute.

60. (1) We vote against the proposal. (2) Run against the wind. (3) Are you for me? Are you against me?

62. (1) What is this paper? (2) What is that building? (3) What is he? (4) What are these papers? (5) What is the price of this car? (6) What is the name of this island?

63. (1) Who is she? (2) Who are you? (3) Who is the president of this company? (4) Who is he? Who is my tutor? (5) Who is in my room?

64. (1) Where is your mother? (2) Where is the post office? (3) Where are your parents? (4) Where am I?

65. (1) Whose bag is that? (2) Whose glasses are these? (3) Whose responsibility is it?

66. (1) Paris is the capital of France. (2) Rome is the capital of Italy. (3) Sapporo is the capital of Hokkaido. (4) Mr. Bush is the President of the United States. (5) The Amazon is in Brazil. (6) The Alps are in Europe. (7) Mr. Matsumoto is my English teacher.

67. (1) This is not a rose. It is a tulip. (2) This is not my purse. (または wallet) (3) It is not your ballpoint pen. (4) This is not Sunday. This is Monday. (5) This is not your house. That is your house. (または Your house is over there.) (6) You are not my friend. Please get out. (7) They are not for you. Forget them. (8) You are not tired. You are lonely. (9) I am not crazy. I am in love. (10) This is not cheap. This is expensive. (11) The bath is not hot. It is cold. (12) This is the train for Aomori. It is not for Kyoto. (13) You are not my son. I am not your father. We are not friends. Who are we? (14) There is not one just man in the world. (15) It is not true.

68. (1) I do not know Mrs. Imai. (2) I do not know you. (3) I do not need a hammer. (4) They do not believe me. (5) You do not run very fast. (6) Mr. and Mrs. Yamamoto do not go to church. (7) Children do not lie.

69. (1) My dog does not like men. (2) My sister does not eat much. (3) Mr. Nakano does not waste money. (4) Mr. Takahashi does not smoke. (5) This door does not open. (6) This safe does not lock. (7) This pen does not write well. (8) This bread does not taste good. (9) My father does not play golf.

70. (1) Isn't this your purse? (2) Isn't this Meguro? (3) Aren't you Mrs. Imai? (4) Isn't she Mr. Yamauchi's daughter? (5) Isn't Nikko wonderful? (6) Aren't you hungry? (7) Aren't they selfish? (8) Isn't Japan very beautiful?

71.
(1) I do not know him.　　　　Don't I know him?
(2) You do not smoke.　　　　Don't you smoke?
(3) Your mother does not feel well.
　　　　　　　　　　　　　　Doesn't your mother feel well?
(4) Your dog does not bark.　　Doesn't your dog bark?
(5) Americans do not spit.　　　Don't Americans spit?
(6) Japanese do not lie.　　　　Don't Japanese lie?
(7) You do not love me.　　　　Don't you love me?

72. (1) Yes, it is in America. (2) Yes, it is in France. (3) Yes, we are Japanese. (または Yes, I am a Japanese.) (4) Yes, it is cold. (5) Yes, it is sweet. (6) Yes. it is a large city.

73. (1) Do you like mountains? Yes, I like mountains very much. (2) Do you go to the movies? Yes, I go to the movies very often. (3) Do your school's students like English? (Do the students of your school like English? の方がよいです) Yes, they like it very much. (4) Isn't your father a teacher? No, he is not a teacher. (5) Doesn't your sister work here? Yes, she works here. (6) Don't they have much snow in Hokkaido? Yes, they have much snow. (Don't they have より Do they have much snow in Hokkaido? の方が普通の言い方。しかし最近は much より a lot を使う方が一般的なので、ここは Does it snow a lot in Hokkaido? とすべきです。そして返事としては、Yes, it does. か Yes, it snows a lot in Hokkaido. のように答えます) (7) Does this train stop at Numazu? No, it doesn't stop there. (8) Doesn't this bus go to the station? No, it doesn't go to the station.

74. (1) We do not have a black cat in our house. (2) I do not have a fax machine. (3) Don't you have a lighter? (4) Don't you have time? (5) Do you have earthquakes in America? (6) Do you have a library in your town? (7) Does he have a bicycle? (8) Don't we have two holidays this month? (9) Do you have a mother and father? (英語では「父母」を "a mother and father" と言います。father の方に a を付けないのが普通です) (10) Do you have one thousand yen?

75. (1) Is there any cash in this safe? (2) Do you have any cigarettes? (3) Do you have any stamps? (4) Is there any glue? (5) Are there any vacant seats? (6) Aren't there any houses for rent in your neighborhood? (7) Aren't there any good vacuum cleaners here? (8) Are there any red felt-tip pens in the drawer? (9) Do you have any friends?

77. (1) Give me a spoon. (2) Give me ten floppy disks. (3) I have twelve cousins. (4) There are fifty students in our class. (5) There are three hundred sixty-five days in a year. (6) This book is two thousand five hundred yen. (7) My salary is two hundred thirty-five thousand six hundred yen. (8) One dollar was once three hundred and sixty yen. (9) This city has one million three hundred thousand people. (The population of this city is one million three hundred thousand. とした方がよいです) (10) You have many good books. (11) Many people support this proposal. (12) There are innumerable stars in the universe.

78. (1) Give me a pound of butter. (2) I need little money. (I do not need much money. の方がよいです) (3) Please have a cup of tea. (4) A lot of cement is necessary. (5) Please leave me six big bottles of milk. (6) Add a dash of salt. (7) This car has ten gallons of gasoline. (8) My uncle drinks one *sho* of *sake* every evening.

79. (1) How many lipsticks do you have? (2) How many desks are there in this room? (3) How many plates are there on the table? (4) How many soldiers live here? (5) How many ships sail out every day?

82. (1) eighteen seconds (2) three minutes and twenty-five seconds (3) five hours and ten seconds (4) ten hours, thirty minutes and twenty-two seconds

83. (1) sixteen minutes past three (2) a quarter past six in the morning (3) thirty minutes past four in the afternoon (4) twenty-two minutes to ten (5) eleven minutes to eleven (6) a quarter past ten at night (7) thirty minutes (half) past ten in the morning

84. (1) School ends at twenty minutes to four in the afternoon. (2) The paper boy comes at six in the evening. (3) My father returns home at seven fifteen in the evening. (4) We eat supper at seven thirty. (5) We all go to bed at ten o'clock at night.

86. (1) three months and twenty-five days (2) five years and five months (3) twenty years, six months and fifteen days

87. (1) September 18, 1997 (2) December 2, 2000 (3) April 22, 2001 (4) on Saturday (5) on Monday, June second (6) on the sixth of August, 2001

88. (1) Can you walk to the station? (2) Mr. Yamada can come today. (3) Our president can see you now. (4) This little car can go very fast. (5) That child can type very well. (6) I can write English. (7) Can you speak French? (8) Can you say it in English?

89. (1) I cannot go now. (2) The president cannot see you now. (3) Penguins cannot fly. (4) You cannot enter the room. (5) I cannot see well. (6) My grandmother cannot walk very well. (7) I cannot accept your kind invitation.

90. (1) Can Masao come today? (2) Can Mr. and Mrs. Ohta go to Hakone on Friday? (3) Can't the government cut the taxes?

91. (1) Why am I so hungry? (2) Why are you so stubborn? (3) Why is this box so heavy? (4) Why can't you come with me? (5) Why does this cost so much? (6) Why is this book here? (7) Why is that salesgirl always rude to customers?

(8) Why can't you trust me?

92. (1) How is your father? (2) How is the party? (3) How does it taste? (4) How can I buy it? (5) How can he say such a thing to you? (6) How do you know my name? (7) How can I hate you?

93. (1) I was there yesterday. (2) You were such a little girl ten years ago. (3) My uncle was in South America two years ago. (4) Your sister was in this room (until) ten minutes ago. (5) We had a concert here a few days ago. (6) There was a visitor for you this morning. (7) Was there a parcel for me last night?

94. (1) I was tired, but I was not sleepy. (2) You were poor, but you are rich now. (3) There was a farm here, but there is a hospital now. (4) There was a river here, but now there is an expressway. (5) Paul was sick, but he is healthy now.

95. (1) I waited for two hours. (2) We lived in Kyoto. (3) I played tennis today. (4) I put your purse on the desk. (5) Taro hit (slapped) me. (6) I quit my job. (7) I read your letter. (8) We sat on the bench in the park. (9) The choir sang poorly. (10) We swam all day. (11) The bell rang. (12) I got a new dishwasher.（または I bought a new dishwasher.） (13) I met your mother yesterday. (14) We built a kennel. (15) You kept your promise. (16) I kept the secret. (17) I spent ten thousand yen. (18) I went to London by plane. (19) The wind blew very hard. (20) Someone stole my bag. (21) I lay quietly.（この lay は、「横になる」という自動詞の過去形で、lie, lay, lain のように変化します） (22) I laid my bicycle down.（この laid は「横にする」という他動詞の過去形で、lay, laid, laid のように変化します。前出の lay とよく混同するので要注意です） (23) My mother went to Karuizawa. (24) I fried two eggs. (25) I told the truth. (26) I said so. (27) He spoke gently. (28) I wrote it. (29) I knew it. (30) I saw Mt. Fuji. (31) I heard the news. (32) He hit his superior's face.（普通は He hit his superior in the face. と言います） (33) Today I saw a very interesting movie. (34) We played a video game this morning.（または video games）(35) I wrote a letter to my high school teacher. (36) Years ago I loved you. (37) He passed the examination. (38) I drank four cups of coffee today. (39) You went to Hokkaido last week. (40) I saw you on television. (41) You slept well last night. (42) The minister spoke for two hours. (43) We bought a new house. (44) Sachiko left the ballet company. (45) She lost weight. (46) The Japanese team beat the Brazilian team. (47) A rocket landed on the moon. (48) The game ended at one o'clock. (49) I changed my mind. (50) I married a banker's daughter. (51) I had a good time. (52) Betty sold her dog. (53) Betty's sister cried.

96. (1) Did you hear the news? (2) Did you write this? (3) Did you play tennis? (4) Did you bring money? (5) Did you find him? (6) Did you go with her? (7) Did you win? (8) Did he arrive safely? (9) Did you see him?（または Did you meet him?）(10) Did you go to Beijing by plane? (11) Did you tell the truth? (12) Did the bell ring? (13) Did she keep the secret? (14) Did you propose to her? (15) Did she say yes? (16) Did you go to Kyushu last year? (17) Did you change your mind? (18) Did you move again? (19) Did you lock your safe? (20) Did you mail the letter?

97. (1) Didn't you hear the news? (2) Didn't I tell you so? (3) Didn't Mr. Sato come today? (4) Didn't I call you at noon? (5) Didn't you finish your homework last night? (6) Didn't you know Mr. Gomez? (7) Didn't the goods reach you safely?（arrive の方がよい。reach だと目的地を表示する言葉が必要です）(8) Didn't you send me the samples? (9) Didn't you sleep well? (10) Didn't you send the E-mail?

98. (1) Why do you call me every day? (2) Why don't you answer my letter? (3) Why did you come here? (4) Why did you hit your sister? (5) Why do you study so hard? (6) Why do the stars twinkle? (7) Why does the neighbor's dog bark like that? (8) Why do dogs wag their tails?

99. (1) Why doesn't Miss Ochiai see you? (2) Why don't you

解答の部　第1部　単文

telephone him? (3) Why don't people clean the streets? (4) Why didn't you get up early this morning? (5) Why don't you go to bed early at night?

101. (1) Where do your parents live? (2) What does your husband do? (3) What does this mean? (4) What do you do now? (5) What did you say to her? (6) Where did you go yesterday? (7) What does "hypocrisy" mean?

102. (1) Who called me now? (2) Who spilled the milk? (3) Who bought your condominium? (4) Who left this room last? (5) Who wrote this book? (6) Who threatened you? (7) Who took this photograph? (8) Who cooked tonight's supper? (9) Who won today? (10) Who took the money from the table in the kitchen?

103. (1) Whom did Junko marry? (2) Whom did you hire? (3) Whom do you love? (4) Whom do you admire? (5) Whom do you trust? (6) Whom do you know at the tax office?

104. (1) I must go now. (2) You must take this medicine three times a day. (3) I must copy it. (4) You must take a bath before supper. (5) I must go to bed before eleven o'clock. (6) You must not cheat. (7) You must not forget this.

105. (1) Buy me a camera. (2) The boss gave me a raise. (3) She showed me your letter. (4) The police sent me this notice. (5) My friend gave me a present today. (6) What did she say to you? (7) Who told you such a thing? (8) Why did you tell him such a thing? (9) Why did you not tell me the truth? (または Why didn't you tell me the truth?) (10) Why did my brother send me such a book?

108. (1) The bus is faster than the street car. (2) George is taller than Bill. (3) Tokyo Tower is taller than the Eiffel Tower. (4) This camera is smaller than mine. (5) Is silk better than nylon? (6) Your cold is worse than mine. (7) Is Matsushima more beautiful than Miyajima? (8) Are the Mets stronger than the Yankees? (9) Isn't green tea stronger than black tea? (10) This sponge cake is sweeter than that cheese cake.

109. (1) History is a more interesting subject than science.
(2) Shinjuku Station is more crowded than Shibuya Station.
(3) North America is a bigger continent than South America.
(4) Miss Yamawaki is a better singer than Miss Stevens.
(5) Japanese is a more complicated language than English.
(6) Isn't Kobe a more important port than Yokohama?
(7) Isn't Mr. Oizumi a better politician than Mr. Morii?
(8) Autumn is a better season than spring.

110. (1) The Tone River is longer than the Tama River. (2) The Pacific is a bigger ocean than the Atlantic. (3) This car is more expensive than yours. (4) The cheetah can run faster than the lion. (5) These books sell better than those. (6) You are thinner than I am. (7) I am older than you. (8) You speak French better than I do.

111. (1) Which do you like better, basketball or volleyball? I like volleyball better than basketball. (2) Which do you like better, beefsteak or roast beef? I like roast beef better than beefsteak. (3) Which do you like better, pottage or consommé? I like pottage better. (4) Which do you like better, Motoko or Kimiko? I like Motoko better.

112. (1) Which is bigger, Tokyo or London? Tokyo is. (2) Which is a better cook, Mrs. Yamanaka or Mrs. Kobayashi? Mrs. Yamanaka is. (3) Which is older, Mr. Orito or Mr. Ishiwata? Mr. Orito is. (4) Which ranks higher, Mr. Bradley or Mr. Blake? Mr. Blake does. (5) Which do you like better, swimming or mountain climbing? I like swimming better (6) Which do you like better, walking or riding trains? I like riding better.

113. (1) I will take you to the zoo on Children's Day. (2) I will call tonight. (3) I will be your wife. (4) I will be late. (5) I will be thirty-three years old on my next birthday. (6) I will come back around six o'clock. (7) Should I call the doctor? (8) Should I wear this dress? (9) Will you wrap this vegetable? (10) You will miss your bus. (11) You will not find it. (12) Will the teacher ask this question? (13) My father will not come back tonight. (14) School will begin on September 10th.

116. (1) What will you have for supper? (2) Which software will you get? (3) When will your mother arrive? (4) Who will win the gold medal in the marathon? (5) Who shall we invite to our wedding? (6) When shall we go to the amusement park? (7) What will you do tomorrow?
(8) Where will you be around three o'clock this afternoon?
(9) When will the next plane for Singapore leave Narita?
(10) Who will propose to me first?

117. (1) I am studying now. (2) You are writing a message now.
(3) We are listening to music now. (4) I am corresponding with a young German. (5) The fire station is now investigating the cause of the fire. (6) Dr. Yamanaka is compiling a new dictionary now. (7) The telephone is ringing. Answer it quickly. (8) We are saving for our school excursion.

118. (1) Mr. Yamaoka is leaving tomorrow evening. (2) My father is coming back next week. (3) Miss Brown is coming here at three o'clock.

119. (1) Skiing is fun. (2) Scolding relatives is my grandfather's bad habit. (3) Slamming the door is rude. (It is rude to slam the doors. の方が自然な表現です) (4) Going on a picnic is good for your health. (5) Driving a car is difficult.
(6) Taking a bath is a nuisance. (7) Accessing the Web is fun. (8) I enjoy watching baseball games on television.
(9) Writing English is easier than speaking it. (10) Stop nagging your husband. (11) Can you stop smoking?
(12) Is it easy playing the electric guitar? (13) Taking a rest after work is important. (It is important to take a rest after working. の方が自然な表現です) (14) Yawning in public is not good. (15) Urinating in public is uncivilized.
(16) Bowing is a Japanese custom. (17) Trusting him was my mistake. (18) Can't you stop calling me? (19) Do you like listening to jazz? (20) Does your mother like going to

Kabuki. (21) Why did you stop seeing Miki? (22) Who enjoys losing money?

120. (1) Stop being a crybaby. (2) Do you mind being my tutor? (3) Do you mind being our coach for a day? (4) Do you like being popular? (5) I do not like being sick. (6) Becoming a diplomat was easy, but being a diplomat is difficult. (7) Adopting you as a son was easy, but being a foster parent was another matter. (8) Being heavy is not fun, but being too thin looks bad sometimes. (9) I will give you one thousand yen for being on time. (10) Being in love is expensive. (11) Being a bachelor is not easy. (12) Being healthy is better than being beautiful. (13) Being neutral to the policy is supporting it. (14) Is being poor a sin? (15) Is being rich a crime?

121. (1) It's hot! It is just like summer. (2) You are just like your mother. (3) Being efficient is like being a machine. (4) Working too hard is the same as playing too much. (5) Dating you is just like dating a princess. (6) Being too early is like being too late. (7) Seeing you is the same as seeing your husband. (8) Talking with you on the telephone was like meeting you.

122. (1) I came to see Japan. (2) She went to Austria to study music. (3) Kenichi decided to buy a new suit. (4) Our company decided to hire one hundred employees. (5) She went to the beauty parlor to please her husband. (6) Our coach told us to run for an hour each day. (7) I covered my ears to shut out the noise. (8) It is not easy to pass the entrance examination for that university. (9) Reading this book is like seeing the movie.

123. (1) I am going to study English hard. (2) Are you going to go to the concert hall? (3) This is going to be a fine house. (4) You are going to Tokyo and start college. (5) What are we going to have for supper tonight? (6) What are you going to say to the boss? (7) Who is going to win the prize money? (8) Why are you going to leave so soon? (9) Why are they going to dig up the school grounds? (10) Why are you going to cancel the order?

124. (1) I was praised by the judges. (2) My composition was praised by the teacher. (3) The thief was chased by a policeman. (4) Kofu is surrounded by mountains. (5) *Gone with the Wind* was written by Margaret Mitchell. (6) The door was opened by the wind. (7) The table was set by Kyoko. (8) The song was sung beautifully by the chorus. (9) The bell was rung by the naughty children of the neighborhood. (10) The house was bought by a foreigner. (11) A good time was had by all. (12) The doll's dress was made by my mother. (13) The mistake was made by the shipping department. (14) The satellite was seen by senior high school students in Okayama Prefecture. (15) This report was written by a professional.

125. (1) You are requested to pay the bill. (2) I was told to come here by your mother. (3) The mayor was asked to resign by the town. (The town asked the mayor to resign. の方が普通の言い方です) (4) The window was opened to let the air in. (5) The school field is cleaned up in preparation for the field day.

126. (1) Were you hit by a ball? (2) Was Koji given a video game by his uncle? (3) Who was hit by a ball? (4) What was Koji given by his uncle? (5) Is he misunderstood by the boss? (Does the boss misunderstand him? の方がよりよい形です) (6) What were you told to do by your boss? (7) Why was the treasurer ordered to show last year's books to the auditor? (8) When was the letter mailed? (9) Why wasn't the letter registered? (10) Where was the picture postcard mailed?

127. (1) Our car is now being washed by the driver. (2) The mail is now being distributed by clerks. (3) The room is being prepared for a conference. (4) Your printer is now being repaired. (5) Is the patient being operated on now? (6) Is this order being carried out by anyone? (7) Is anyone

書く英語・基礎編

proofreading the galley proof of my manuscript?
128. (1) We are married. (2) Am I mistaken? (3) I went to see my teacher, but he was gone. (4) Today I walked thirty kilometers. I am very tired. (5) Your eyes look tired.
(6) Please send this stained shirt to the laundry. (7) Was the kennel painted? Yes, it was. (8) Do you know me? Yes, you are well-known. (9) I wanted a new car, but you bought a used one. (10) It was pathetic to see his tired old face.

129. (1) It is getting cold. (2) You studied hard all day yesterday. You got tired. (3) It is nice to get home. (4) I am telling the truth, but don't get angry. (5) I skipped my breakfast this morning. I am getting very hungry.
(6) I definitely got your letter yesterday, but it is gone somewhere. (7) He ate too much and got sick. (8) It is getting dark. I am lonely. (9) Please get well. (10) Get out!

130. (1) Being healthy is better than being famous. (2) Being tall is inconvenient sometimes. (3) Getting off and getting on requires some skill.

131. (1) The sight was sickening. (または It was a sickening sight.) (2) He is disgusting. (3) Her smile is disarming. (4) Do not touch boiling water. (5) Your story is misleading. (6) It is a winding road.

132. (1) Don't you want to go hunting? (2) They went swimming. (3) Our class went camping last week. (4) Did you go mountain climbing last year? (5) My mother went shopping.

133. (1) I saw your mother shopping. (2) I saw your father and mine playing *go*. (3) I saw the hit-and-run car going that way. (4) I heard you coming. (5) Did you really see him cheating?

134. (1) I heard you speak yesterday. (2) I saw Miss Yamanaka broke the world record in the Olympic swimming pool. (3) Let me see you jump from here to that rock. (4) Didn't you see me win first prize? (5) I'll help you carry it. (6) Let me carry your suitcase. (7) You helped me find my good points. (8) Let's go to her to express our thanks. (9) I will not let you forget it. (10) Please ask him to stop smoking. (11) I am going to ask you to answer my question.

135. (1) Let's eat. (2) Let's diet. (3) Let's hurry. (4) Let's forget the past and go forward. (5) Let's not run. (6) Let's get engaged.（結婚を前提にしたプロポーズ。普通は Will you marry me?）(7) Let's not go out in this rain. (8) Let's be quiet.

136. (1) At last the day has arrived. (2) I have worked for exactly two hours. (3) We have been in London for a month. (4) I have just come out of the bath. (5) I have just finished my supper. (6) We have just had a roast turkey. (7) Have you ever seen a boxing match? (8) Has Hiroshi ever watched a professional tennis match? (9) Mr. Yamada, the chairperson of our company, has been to South America. (10) Have you ever been to New York? (11) We have been in New York. (12) We have never been to such a place.

137. (1) We have been well. (2) Have you been busy? (3) It has been cold. (4) They have been rivals, but now they are good friends. (5) You have been a good civil servant. (6) You have been a good customer. (7) This has been a bad year. (8) Has the Oyama Company in your town been a reliable company?

138. (1) I have been beaten. (2) You have been awarded a scholarship. (3) His shop has been renovated. (4) Have you been hurt?

139. (1) China is the most populated country in the world. (2) Our alma mater is the oldest college in Japan. (3) This cheese is the best. (4) I like this room best of all the rooms. （または I like this room better than any other room.） (5) I like this dictionary best. (6) She is the most efficient staff member in this office. (7) The products of your company are (the) best. （または Your company's products are best.）(8) Mr. Sosa is the most valuable player in the

National League.

140. (1) Play less and work more. (2) I eat less than you. (3) Going by boat is less expensive than going by airplane. (4) Going on foot is the cheapest means of transportation. (5) Drinking too much is less harmful than eating too much.

141. (1) We train more pilots than any other school. (2) This town has the most factories in this prefecture. (3) The fox is less intelligent than the monkey. (4) This room has the least capacity. (5) This car uses the least gasoline among foreign cars.

142. (1) I have to go to the bank today. (2) I have to stop drinking. (3) Our helper has to go to the dentist every day. (4) Mrs. Yamamoto had to go to the station in a hurry. (5) I have to stay in the house because I have a cold. (6) You have had to suffer so much. (7) I have to register my new address to the ward office tomorrow. (8) I have to spank you. (9) We will have to sell this house. (10) What will you have to do tomorrow morning? (11) Whom will you have to find next? (12) Where will you have to go next week? (13) Do I have to take the medicine now? (14) Does Mr. Thomas have to sign this? (15) Why does he have to?

143. (1) May I come in? Yes, you may. (2) I may come to your town next week. (3) I may come to see you. (4) You may stay at our house. (5) May my daughter, Lisa, go out? (6) Mr. Fukushima may or may not come. (7) It may rain. You may take my umbrella. (8) Our company may overtake other companies during the year.

145. (1) I should go home now. (2) Shouldn't your company apologize to me? (3) I should have sent my opinion concerning this matter to the newspaper. (4) I shouldn't have said so. (5) Should I have said so? (6) Shouldn't I have said so?

147. (1) America is nice, but England is nice too. (2) Kyushu is nice, but Hokkaido is nice too. (3) You are angry. I am too. (または So am I.) (4) She is pretty and so you are. (5) Are

解答の部　第1部　単文

you broke? I am too. (6) I am a Rotarian. Are you also one? (7) Which seat shall I take? Take either one. (8) I do not like either ring. (9) I do not like either room. (10) Which do you want coffee or tea? Either is all right. (11) You are not old. Neither am I. (12) You are not sick. Neither am I. (13) You cannot go out. Neither can I. (14) Neither you nor I can dance. (15) Either you or I must go. (16) My name is neither Oyama nor Koyama. (17) I like neither Tokyo nor Osaka. (18) I can speak neither Chinese nor Korean. (19) I have been neither to Africa nor to South America. (20) I want neither wealth nor fame.

148. (1) Thank you for sending me the E-mail. (2) Thank you for my birthday present. (3) Thank you for coming yesterday. (4) I was very grateful to you for sending the payment promptly. (5) I appreciate your timely warning. (6) You should write a letter of thanks to Mr. Harrington for his kindness showed to you. (7) We all express our heartfelt thanks for your help. (8) You should not thank me. (9) Thank God! The lesson is over.

第2部　複文

Lesson
Number:

150. (1) This is the video game that I bought yesterday. (2) It is the book which I gave you. (3) Are these the flowers which Sachiko brought? (4) Look at the puppy I found. (5) Do you know the song which she is singing now?

151. (1) Mrs. Norman is the lady who was telephoning there. (2) Where did the foreigner who wanted to see me go? (3) The helper who you sent to me works very hard. (4) The woman who came to see John was very pretty. (5) You are the teacher who my son admires. (6) What is the name of the saleswoman who sold this PC? (7) What is the name of the person who sent the bouquet? (8) This is the man who followed me.

152. (1) This is Mrs. Oishi. Her bicycle was stolen. This is Mrs. Oishi whose bicycle was stolen. (2) This is Mr. Ueda. His house is in Mito. This is Mr. Ueda whose house is in Mito. (3) That is Mr. Smith. His wife passed away recently. That is Mr. Smith whose wife passed away recently. (4) I teach Mrs. Minami's son. She was my classmate. Mrs. Minami was my classmate whose son I teach. (5) Alice's sister is a pianist. Alice is a famous author. Alice is a famous author whose sister is a pianist. (6) You are the first American ambassador to Japan whose wife is Japanese. (7) Are you the Swiss alpinist whose picture appeared in the paper? (8) They are the people whose organization helps foreign students.

153. (1) The woman reading the book there is my sister. (2) The man smiling at us is my father. (3) The woman scolding the boy is our teacher. (4) The man putting on skis is our coach. (5) Do you know the name of the woman typing on the keyboard at the desk? (6) The two men arguing furiously now are our vice president and department chief. (7) The man driving my father's car is sixty years old and has three grandchildren. (8) The woman serving as private secretary to the president graduated from Smith College in America and has been to Europe.

154. (1) This is the store where I am working. (2) This is the hospital where I was born. (3) The company where I am employed is called the Yamato Company. (4) I don't know where your father is. (5) Do you know where this product is made? (6) She is where he is. (7) Tell us where the suspect is. (8) Is this the store where you bought a bottle of champagne? (9) Please tell me where the nearest station is. (10) Do you know where the post office is? (11) This is the barbershop where I go. (12) Is this the beauty shop where you go? (13) Where is the room where the murder took place? (14) This is the hall where the conference is in session. (15) I do not know where everyone is.

155. (1) You were out when I called you. (2) I was taking a shower when the phone rang. (3) Where were you when the special delivery came? (4) I hurt my forefinger when I shut the door. (5) Please tell Mr. Yamada when he comes that I want to see him. (6) Please lend me the book when you have finished with it. (7) Please come to see me when you have time. (8) This river overflows when it rains.

156. (1) Have you heard what has happened to Sachiko? (2) What she does not know is he will not hurt her. (3) Can you read what is written there? (4) I have found out what you wrote about me. (5) What you are talking about has no relationship to me. (6) Do you believe what he says? (7) I lost what you gave me. (8) I cannot imagine what happened to her.

157. (1) The fax got here before you called. (2) Mr. Yamamoto called you before you came. (3) It was raining before I left home. (4) The game began after we arrived at the arena. (5) I have been living here alone since you left. (6) Nobody came after you called me. (7) Please stay here until I return. (8) You should not open this box before you get home. (9) I will go shopping while you are watching television. (10) I did my ironing while the baby was asleep.

158. (1) Because (Since) our teacher was ill, there was no class today. (2) Because (Since) you went away, l got lonely suddenly. (3) Because (Since) tomorrow is Sunday, please let me sleep late. (4) Because (Since) you ordered it, please pay for it. (5) Because (Since) it is six o'clock now, my husband will be back soon.

159. (1) I am going to the esthetician so that I may become more beautiful. (2) Please glue it tightly so that it will not come off. (3) Please tie it fast so it will not come loose. (4) I am cooking now so that I may go on a picnic tomorrow.
(5) I bought this CD player so that I can learn English.

160. (1) Please sleep as much as you want. (2) Run as fast as you can. (3) Are you as old as I am? (4) There were thousands of cars as far as the eye could see. (5) I will repair your motorcycle as quickly as I can. (6) Please shave my face as closely as you can. (7) It was as small as my little finger. (8) I love you as much as I love my own life.

161. (1) I am older than you are. (2) I can polish the mirror faster than you do. (3) She is more shocked than sad.
(4) This book is more educational than entertaining. (5) You hate him more than I do.

162. (1) Your salesman was so kind that I am going to buy your product again. (2) I was so sleepy that I didn't hear his lecture. (3) The book was so interesting that I did not even blink an eye all night. (4) He drank so much *sake* that he became drunk. (5) The train was so crowded that I had to stand all the way. (6) You are so wonderful that I will give this to you. (7) His house was so big that I got lost in there.
(8) The rain was falling so hard that I could not go out today.

163. (1) It is not good to exercise too much. (2) It is good to rise early in the morning. (3) I was glad to see him. (4) It is not easy to hear since your voice is too soft. (5) It is hard not to like Shirley. (6) Is it wrong not to see him? (7) It is interesting to see a professional basketball game. (8) It has been my great pleasure to read your novel in the paper.

164. (1) It is too hot to play outdoors today. (2) It is too dark to read it. (3) I am too tired to go out. (4) The entrance examination was too difficult for me to pass. (5) He was too brilliant not to be noticed by his superior. (6) This book is too long and difficult to understand. (7) This green tea is too strong to drink. (8) He was too shy to propose to her.

165. (1) It is too bad that your cell phone is damaged. (2) It is awful that the Japanese soccer team was beaten. (3) I am delighted that you have a job. (4) It is unfortunate that her boyfriend is ill. (5) It is regrettable that you have tried your best and have lost the game.

166. (1) I am glad that you found a new employee. (2) I am sorry that you have lost your best friend. (3) Are you happy that you are going to move into a bigger house? (4) Are the children sad that they have witnessed the car accident? (5) I wish that you could come back before New Year's day. (6) I hope that you will live long. (7) I believe that you have received my previous letter. (8) I think that the next stop is Ohmiya. (9) I feel that you do not trust me. (10) Do you know that I am your employer? (11) Do you know that I am an independent adult? (12) I think that I have worked long enough today.

167. (1) My teacher said, "You must get more exercise." (2) The superintendent said, "It is all right to take a break." (3) The principal announced, "The school excursion will be on the third of next month." (4) "You should not do such a thing," said his mother to him. (5) "Please spare my life." said the burglar. (6) "Come in," said the doctor. (7) "I don't know," I answered. (8) The notice warned, "No smoking."

168. (1) He says that he likes classical music. (2) An old saying says that time is money. (3) Your boss said that he wanted a reservation on the Hikari. (4) Yukie says that her mother is not well. (5) Foreigners say that Tokyo is the most difficult city to tour in the world. (6) The tailor said that your suit was ready. (7) The TV weathercast says that it will rain tomorrow. (8) The paper says that there was a big flood in the USA. (9) The teacher said that the Pacific Ocean is larger than the Atlantic Ocean. (10) Helen said that she is older than Emily.

169. (1) We heard the fire alarm ringing just when we had finished the first period. (2) When my sister had just finished her piano lesson, I came home. (3) Mr. Yamaoka said that he had seen you before. (4) The burglar had escaped already when the policeman came. (5) I had never heard it before. (6) Had you made an appointment before? (7) I thought you had gone to bed. (8) I was told that you had lived abroad.

173. (1) I wish I were a lawyer. (2) I wish you were a doctor. (3) I wish I could drive a car. (4) I wish I could see you now. (5) I wish I had seen him yesterday. (6) I wish I had not met her today. (7) I wish the priest would finish the sermon. (8) l wish I had one million yen right now.

174. (1) I suppose this is your credit card. (2) These must be your sunglasses. (3) Since this room is very untidy, it must be his. (4) This is a very modern house. It must be Mr. and Mrs. Ikeda's residence. (5) It is a very fine sculpture. It must be expensive. (6) We have not received your reply, but we believe that our company's merchandise has satisfied you. (7) It must have rained last night. (8) Mr. Akao must have left late last night. (9) You are penniless. You must have spent your money foolishly. (10) I must have left my umbrella on the train.

175. (1) It is getting dark. You had better quit. (2) Hurry up. You had better take a taxi. (3) You have been sitting all day today. You had better go for a little walk. (4) You must be very tired. You had better go to bed at once. (5) Should I

write a letter to Central College? (6) I have received no word from her. Should I go to see what is going on?
(7) My grandmother is in poor spirits. Should she see the doctor? (8) You had better not call at his house.
(9) I suppose I had better not go home so early today. My wife's mother must be there. (10) We had better not speak to Mr. Kimura, the section chief. He is in a bad mood.

176. (1) If anyone calls, please tell the person that I am out.
(2) If the parcel service delivers the goods, pay the driver the bill. (3) If I were you, I would never go to such a place.
(4) If Japan were much larger, such a tragedy would never have happened. (5) If it rains tonight, it will wash away our plan. (6) If you do not feel well, you had better call your office and rest at home. (7) If this child happens to become sick while you are away, what would I do? (8) If you were seen by your wife, what would you do? (9) Even if I lose twenty or thirty thousand yen playing the pinball machine, I would not mind it. (10) If we took a cab, how much would it cost?

177. (1) I demand that Mr. Yamamoto pay me at once.
(2) We suggest that the chairman adjourn the conference.
(3) Do you advise me that my son should study in America?
(4) I advise that you eat less. (5) The president demanded that Mr. Kimura, the section chief, go to Hokkaido.

178. (1) Is it necessary that you go now anyhow? (2) It is necessary that I finish this copy today. (3) It is absolutely necessary that the father go to the hospital to be examined.
(It is absolutely necessary for the father to go to the hospital to be examined. とも書けます) (4) It is important that our company sign this contract with the Yamashita Company. (5) Was it so important that you had to see her?

179. (1) Unless you study harder, you will not get into college.
(2) Unless you stop your heavy drinking, you will get sick.
(3) Unless you come here right away, Sachiko will be gone.
(4) Unless I finish this job soon, I cannot watch the night

game. (5) Unless you master English, you will not amount to anything.

180. (1) Will you be able to come to Japan next year? (2) All these years my brother has been unable to speak English, but now he is perfectly able to. (3) He has not been able to do such a thing. (4) She was unable to meet her husband. (5) Why was Sachiko unable to tell the truth? (6) I was unable to hear you very well. (7) I am not able to eat any more. (8) How was she able to find my address?

第3部　総合練習

My Family

(1) Please look at this photograph. (2) It is a photograph of my family. (3) The man in the center is my father. (4) His name is Ichiro Matsuyama and he is a government official. (5) He works in the Ministry of Justice. (6) He is a hard worker. (7) He seldom talks at home. (8) His only hobby is gardening.

(9) This is my mother. (10) She is a very interesting individual. (11) She can read English and Spanish. (12) She can converse in English very well. (13) She plays the piano. (14) She is also a very good dancer. (15) She has a studio and she teaches piano and modern dance <u>at her studio</u>. (there でもよいです) (16) She has many classes. (17) All her lessons stop at six o'clock in the afternoon. (18) My father does not like noise.

(19) This is my oldest brother. (20) He is an <u>office worker</u>. (white-collar worker でもよいです) (21) He graduated from college two years ago. (22) He played baseball in college. (23) He is playing baseball for his company now. (24) He is a good pitcher. (25) He will not become a professional baseball player. (26) He likes his job at the company. (27) He has a fiancée. (28) They are going to get married in the fall.

(29) This is my older sister. (30) She is still in college. (31) Like my mother, she is a linguist and a musician. (32) She speaks English better than my mother. (33) She speaks English better than anyone in her class. (34) She wants to marry a diplomat. (35) She wants to live in England or America.

(36) This is my younger brother. (37) What shall I say about him? (38) He is fourteen years old. (39) He hates music. (40) He hates to study. (41) He plays soccer at school. (42) He wants to become a professional soccer player someday. (43) He may become

a politician. (44) I cannot tell. (45) Father wants him to become a physician, but he will not be able to pass the entrance examinations for medical college. (46) They will be too difficult for him.

(47) What do I want to be? (48) That's difficult to say. (49) I am interested in business. (50) Business is interesting because you can make money. (51) What do you think?

(52) This is my younger sister. (53) She is ten years old. (54) She wants to become a nurse. (55) She likes to take care of people. (56) A few weeks ago, our neighbor's mother became sick. (57) My sister went to see her every day. (58) She took the patient's pulse. (59) She took the patient's temperature. (60) She watched the doctor. (61) My sister will certainly become a nurse or she will marry a doctor!

Jiro Goes to America

(1) My name is Jiro Yamanaka. (2) I was born in a village in Gumma Prefecture. (3) My father is a farmer and we are poor. (4) There are three of us and my parents. (5) I entered junior high school when I was twelve. (6) I studied English for the first time. (7) I liked it very much. (8) It showed me a new world.

(9) There was a radio cassette recorder at home. (10) I listened to the radio and studied English very hard. (11) I listened to the radio English conversation program mornings and evenings. (12) I listened every day. (13) At first I did not understand them, but I did not give up. (14) I did not have the textbooks of the radio program. (15) I listened and I imitated the teacher. (16) I memorized the lessons.

(17) I started senior high school. (18) One day the principal told us about scholarships to study at a high school in America. (19) I was thrilled. (20) Should I take the examinations? (21) Should I stay home and help my father? (22) I thought about the matter for many days. (23) At last I spoke to my father. (24) He told me to take the examinations.

(25) I began to study English harder. (26) From early in the morning until late at night I studied English. (27) Then the day of the examination came. (28) I went to Maebashi City to take the examination. (29) There were about eighty boys and girls. (30) They all looked like bright students. (31) I was not afraid. (32) I did my best.

(33) I passed the examination! (34) The final examination was going to be held in Tokyo. (35) On the day before the final examination, I went to Tokyo by local train. (36) I stayed at my uncle's house.

(37) The final examination was very difficult. (38) There was a test in English conversation. (39) I spoke English with an American for the first time in my life. (40) I came home and waited. (41) One week passed. (42) Then I received the notice. (43) I passed!

(44) My parents had to raise money. (45) They had to raise at least three hundred thousand yen. (46) My brother and sister also helped. (47) At last we had the three hundred thousand yen. (48) I applied for a passport. (49) The Ministry of Foreign Affairs granted me the passport. (50) I went to Tokyo again. (51) I went to the United States Consulate and applied for a visa. (52) The visa was granted.

(53) The departure date was set for July first. (54) Many Japanese high school students were going to fly on a jumbo jet from Narita. (55) I am writing this note on the eve of my departure for America. (56) I want to thank my parents, brother and sister for their help and understanding. (57) I am grateful to my school and teachers for their encouragement. (58) I am appreciative of the opportunity. (59) I will not waste it. (60) I will study hard and will make friends in America.

A Letter

(1) How are you these days? (2) I am very well. (3) I have not written you for a week, but I have thought about you. (4) I received your E-mail yesterday and it gave me the courage to write this letter. (5) This is not going to be an ordinary letter. (6) Please read this to the end and answer me.

(7) I have been away from Japan for a year now. (8) My study is nearing an end. (9) Next month I will be returning home. (10) For the past twelve months, I have been thinking about my future in Japan. (11) I am an engineer and I shall be working in the field of urban planning after my return. (12) My life will not be too exciting, but I can make someone happy. (13) I want you to be that person. (14) I have always liked you. (15) Being away from home has taught me something. (16) My life is very empty without you. (17) I love you very much.

(18) I have known you since childhood. (19) We have been like brother and sister. (20) Our families have been good next-door neighbors. (21) Your father is also an engineer and perhaps this has influenced me. (22) After my father's death, your father was like a father to me. (23) Your mother and my mother have been good friends. (24) You and I will get along, I am sure.

(25) I have missed you terribly the past twelve months. (26) I have tried very hard not to think about you because I have had to concentrate on my project. (27) But it has been futile. (28) You know me very well. (29) Let's not hide our real feelings. (30) Do you love me? (31) Will you write to me and give me an honest answer?

Chicago

(1) Chicago is the commercial capital of the state of Illinois. (2) It is located in the northeast corner of Illinois and it lies southwest

of Lake Michigan. (3) It is the third largest city in the United States of America. (4) Its population is about two million eight hundred thousand. (5) It is a great center of industry and commerce. (6) Many railway lines and commercial airlines make Chicago their terminals. (7) O'Hare International Airport is well-known as one of the world's busiest airports. (8) Chicago is also famous for its museums, its great parks and its beautiful shorelines. (9) It is known for the home of two professional baseball teams, the Chicago White Sox and the Chicago Cubs. (10) The University of Chicago is one of the most important universities in the world and it is the birthplace of the atomic bomb.

Problems for Translation in an Examination for Guides

(1) Have you ever visited Lake Towada? (2) No, I have not. I would like to go to see its colored leaves this fall. (3) This hotel, which was built at a cost of about 6,000,000 yen in prewar days, has a total floor space of 6,500 *tsubo*.

(4) Those who think say, "The world is united." (5) Today airplanes are so developed that it is possible to go around the world in a few days. This is a gratifying fact. (6) But the fact is that the world is divided into two groups — communist nations and democratic nations. (7) The most important problem has been whether the two groups would go to war or not.

(8) Historic places such as Kyoto, Nara and Kamakura are like museums. But there are few art museums with facilities for us to obtain well-organized information in a short time. (9) Foreigners who come to Japan think that this country is like an *Ukiyoe* print. (10) But they can't find one *Ukiyoe* museum. (11) That disappoints foreign tourists. (12) Foreign passenger ships never fail to call at Yokohama and Kobe even if they do not anchor at any other ports. (13) When they do, passengers go ashore even if only for one day. (14) Even so, there are no such museums.

Man and Wife

(1) My wife <u>presented me with an initialed ballpoint pen</u> last Christmas. (または、presented an initialed ballpoint pen to me) (2) Until then I had never come across a good pen. (3) But the pen given me by my wife writes amazingly well. (4) When I asked her where she had bought it, she said, "At a department store." (5) Of course, it did not mean that the department store was especially a good one. (6) Neither was the brand especially good. (7) Its cost was rather high. (8) But, I had bought pens before at about the same cost. (9) Then, why would it be especially good?

(10) My wife and I often think alike. (11) When I want coffee, she makes it for me. (12) She urges, "Let's take a walk," just when I am tired. (13) Yet, the most amazing thing is the menu. (14) When I am out, I sometimes feel like having curry and rice for supper. (15) I want to call her, but because I am busy I forget it. (16) I smell curry the moment I open the front door. (17) In such cases, I cannot help smiling.

(18) I used to suffer from stomachaches. (19) That was because I often had my meals out. (20) Since I married her I have rarely <u>fallen</u> ill. (普通は become) (21) I scarcely take medicines now. (22) An orderly life and peace of mind are the secrets of my health.

(23) We act under an unwritten law. (24) It is that we inform each other where we are. (25) I always call her when I will come home late. (26) My wife tells me where she is going and when she will come back on shopping days. (27) We make it a rule not to go out at night. (28) I do not bring home unexpected company. (29) My friends are my wife's and her friends are mine too. (30) Therefore we always visit friends together.

(31) We have no children. (32) Our friends say we must be lonely. (33) Some of them suggest to us that we should adopt a child. (34) But we do not feel lonely at all. (35) The main reason is that we act together as much as possible. (36) And we read a lot, but we do not read the same things. (37) My wife reads weekly

magazines and newspapers thoroughly. I read foreign magazines and books. (38) When we are out walking, we exchange the knowledge we get through reading. (39) We do not gossip about others. (または、We are not in the habit of gossiping about others.) (40) We do not criticize our mutual friends. (41) We think that it is foolish of ourselves to consider our friends' questionable characters, for they are necessary for our happiness.

(42) Money problems between man and wife cause conflicts.

注 題名と同じく"man and wife"は慣用句で、man は husband(夫)を意味します。だだし、このような用例を除けば、man は「人」、「人間」を意味するために、man を husband とするのは女性軽視とみなされ、最近では、人や人間を指す場合、man ではなく human beings, humankind などの語が使われます。

(43) We solve them in the following manner. (44) My income is irregular because of my writing profession. (45) All income goes into my wife's hands and I am given a fixed sum for spending money every week. (46) My wife keeps books well. (47) I look at them once a month and I am satisfied. (48) My wife gives me a warning when we are short of money. (49) We must be doing well, for she rarely reminds me of it. (50) I am thankful to her for her good management and I respect her.

(51) My wife does not want luxuries. (52) She is satisfied with only the necessities. (53) When I say these things, people think that I am too nice to her, but that is by no means true. (54) My wife is absolutely obedient to me. (55) I grant her wishes as much as possible in return. (56) Emotional differences between us are resolved by love.

(57) A husband and wife must have certain types of recreation in common. (58) For instance, on television programs, what I want to see sometimes conflicts with what she likes. (59) Night baseball games is an example. I like to watch them. (60) My wife likes movies. (61) So we turn the television to my favorite program every other week or go by the allotted time system. (62) And yet, she has come to like baseball games recently, so we often see them from the beginning to the end. (63) That we can't

always see a game to the end is because of the television station's stupidity.

(64) Our favorite recreation is traveling. (65) My wife likes to take pictures and carries a camera wherever we go. (66) We choose a place where we have never been and make careful plans. (67) We take a long trip once a year and take little trips once a month. This is our ideal. (68) Traveling is not only a pleasure but also "a business with pleasure," since it gives me material for my work. (69) We have been to places such as Hokkaido, Sado, Kyushu, the Tokai District and the Seto Inland Sea. (70) We intend to visit Shikoku if possible and someday we will go abroad.

(71) I do not want to become famous or influential. (72) I do not want any more than to live peacefully and happily every day. (73) Since I am an intellectual, I wish to contribute to society. But, I have never wanted to make others agree with me. (74) I have rather made efforts to have people live happily. (75) But I am not trying to reform society. (76) Reformation of society is the business of social scientists and politicians. (77) In the same manner, foreign affairs must be dealt with by diplomats, and ailments must be cured by medical specialists. (78) My goal is that Japan may be better known to foreigners through my little efforts. (79) This can be summed up this way — I must write about Japan in English.

(80) My wife understands my profession. Nothing makes me happier than to know that. (81) She sacrifices all her personal desires for my work. (82) But I have never actually demanded it of her. (83) She is always at home while I am working and she protects me by blocking all interruptions from the outside.

(84) Man cannot work well if he is not happy. (85) He who can work well is a lucky man. (86) I do not want to lose our happiness. (87) After all, I live for my wife and she lives for me. (88) As long as we think like this, our marriage will never fail. (89) I advise the following to young people: (90) You should marry late. (91) It is because human beings live only once. (92) Marriage takes up the greater part of life. (93) First of all, you should know yourself.

(94) You cannot find the right partner in marriage without knowledge of yourself. (95) To choose a partner in marriage, you must associate with members of the opposite sex. (96) When you associate with them, you had better not go on single dates but find safety in numbers. (97) You had better put love off to the very end. (98) Once you have made up your mind, you should marry as soon as possible. (99) An arranged marriage is not all wrong. (100) But it is wise to have a long period between the first meeting and the engagement and a short period between the engagement and marriage. (101) The period between the first meeting and the engagement had better be a period of genuine friendship, so that you can break off the promise whenever necessary. (102) There is a foreign saying that goes, "Marry beneath yourself." (103) It is a meaningful admonition. I have quoted this for your benefit.

A Boy's Idle Thoughts

(1) I am in the second year of senior high school. (2) I am seventeen years old. They say I am at the dangerous age. (3) My nature is not violent. (または、I am not violent by nature.) (4) But I cannot deny that there is an enormous amount of surplus energy stored in my head and body. (5) Of course, I am studying hard. (6) I have to enter college somewhere next year.

(7) My father was a college professor. (8) Since he was bright, he would have become a rich man if he had entered the business world. (9) My father died five years ago without leaving me any inheritance. (10) Since then, only the two of us, my mother and I, have been getting along somehow. (または、Since then, my mother and I have had to carry the burden of supporting ourselves.) (11) My mother is a junior high school teacher. (12) So she advises me to be a school teacher.

(13) But, to tell the truth, I want to be an athlete. (14) Even as I am studying now, I find myself wanting to do exercise. (15) I

wish I could have joined the baseball club. (16) <u>It is too expensive to join the club is the reason of my mother's objection.</u> (または、But my mother objects because it is too expensive to join the club.) (17) Suppose that I become a baseball player and that I turn professional upon graduation. (18) I hit a home run at a big stadium with a big crowd. (19) While the audience applauds, I score. (20) The game is written up in big letters in the next morning's papers. (21) Such as "Yamamoto hits a come-from-behind bases-loaded game-ending home run!" (22) How wonderful it would be!

(23) Yet, it is nothing but a mere dream. (24) Why do I have to go to college, get an academic degree and become an ordinary <u>office worker</u>? (または、white-collar worker) (25) Why is it wrong <u>if I</u> (または、for me to) seek my own destiny? (26) Even if I give up baseball, is there anything equally exciting? (27) What about politics? (28) I may become a Minister of Foreign Affairs and undertake Japanese diplomacy. (29) I make a speech at the United Nations General Assembly. (30) The speech saves the world from a serious crisis. (31) All the people in the world are grateful to me. (32) That is not bad at all.

(33) But being a statesman would not be easy. (34) First of all, it is not an easy task to become a member of the Diet. (35) An election campaign is very expensive. (36) If I lose the election, I would be very miserable. (37) There is no guarantee that I would never be assassinated. (38) Glory itself is a constant companion of danger. (39) Well, I will take time to think about my future.

(40) Oh, I am so hungry. (41) I wish I had eaten more at supper. (42) Mari Suzuki is pretty, seeing her on television. (43) I wish I could see her now. (44) Even if I could see her now, she would be "beyond my reach" as far as I am concerned. (45) Yumi Uchimura, a class-mate of mine, is a little like her. (46) What is her father's profession? (47) I wish she would speak to me more often. (48) It is enough to think about her. (49) I am afraid I cannot fall asleep. (50) I will sleep until breakfast.

A Conversation between Two Sisters

Older sister : Where did you go today?
Younger sister : Just shopping in Shibuya.
O : Oh, I wish I had gone with you.
Y : To my regret, there was nothing I was interested in.
O : You did not go for anything special, did you?
Y : No, I didn't. I just went out for a little walk.
O : But why has it taken you so long?
Y : I wonder if it has.
O : Did you see something? A movie?
Y : No, I didn't. There was nothing I wanted to see.
O : Well, did you eat something?
Y : Yes, I had a bite at a coffee shop.
O : All by yourself?
Y : Of course.
O : But your shoes are too dirty to have been to Shibuya.
Y : Why do you say that?
O : Because when I saw your shoes a while ago, they had dirt on them.
Y : Is it a crime to have dirt on my shoes?
O : Yes, it's strange. It looks as if you took a walk along the river.
Y : You are suspecting me of something, aren't you?
O : Am I? I wonder.
Y : What do you mean?
O : Well, I'll tell you. Today is Sunday but Masao was not home.
Y : That's too bad.
O : When I asked the housekeeper, he said, "Masao has gone out to the Tama River."
Y : So you think I went with him, do you?
O : Yes, I do.
Y : Then, I'll tell you. I did.
O : I thought so. Why did you do it?
Y : Because he called me. Was it wrong?
O : You know how I feel.

Y : Even if you are older than I, you have no right to monopolize him. You're not engaged to him yet.
O : Oh, you are so heartless.
Y : If you think so, you'd better tell him so.
O : Why did you do such a thing? I've been very good to you ever since you were little.
Y : This is one thing and that is another. You've been wrong.
O : Have I? How?
Y : I can't tell you.
O : You can if you will.
Y : I don't want to.
O : You are impossible.
Y : There is no point in arguing with you. I will go my own way.
O : All right, but please observe the traffic rules.
Y : It is none of your business.
O : What do you mean? Speak plainly.
Y : All right. I'll tell you. Masao said that he would never see you again.
O : Nonsense! You are lying. He wouldn't say such a thing. You must be making it up.
Y : He wouldn't? You are free to think so.
O : I'll go and ask him.
Y : Go ahead.
O : Well, what are you going to do about it?
Y : We are only friends, of course. Anyway, Masao is going to London next month with his bride-to-be who is the daughter of his boss. He met me just to have me tell you. Since you are informed this much, I'll answer your previous question. It is all your fault that he gave you up. It's because you said, "Let's wait until you get a raise." Masao had been waiting for you to come to him.

A Few Days Later

Y : Oh, where have you been?
O. : Just for a short walk.

Y : But it took you so long.
O : Well, to be frank with you, I went to see Masao.
Y : Oh, you did? Well, what happened?
O : You were very mischievous. What you said the other day was not true at all.
Y : So you know!
O : Yes. I found out that you were both fooling me.
Y : Of course, we were. Did everything go smoothly?
O : Yes, thanks to you. I accepted him as he was. And I met his parents too. Mother and Father will certainly be glad to hear it.
Y : That's wonderful.
O : Now, I'll treat you to dinner. Let's go to Ginza, just the two of us. We haven't been out together for so long.

おわりに

　ご苦労さまでした。最後までやられたあなたの努力は必ず実を結ぶと思います。
　さて、読者の中には、「こういう文体が抜けていたとか」、「こういう書き方もあるのではないか」とお気付きの方もあることでしょう。私は十分それを承知しています。私の不勉強から見落したこともあると思いますので、気付かれた方はおはがきをくだされば幸いです。私がわざわざ「基礎編」に入れなかったものは、「実用編」か「応用編」で解説するつもりで取っておいたものです。例えば、He is not able to do such a thing. などは、実は、He is not capable of doing such a thing. の方が better English と言えるものです。しかし、これらのことは、基礎的なことをだいぶ上回っていることなので、後編に譲りたいと思っている次第です。
　この後に『書く英語・実用編』と『書く英語・応用編』が続きます「実用編」は、さほど程度は高くありませんが、日ごろ英語を使う人、特に英語を書かなければならない人にとっては、常識として知っておいていただきたい事項を集めてあります。ぜひ傍らに置いて、常に参考にしてください。「応用編」は最後の仕上げの段階として、ゆっくり取り組んでいただきたい本です。特に英語を専攻する人、外国の大学へ留学を目指している人に熟読をお薦めします。

索引

A

a 20, 29, 34, 35, 38, 39, 44, 97, 201, 265
able 238, 239, 240
above 55, 56
A.D. 103
adjective ... 37
adverb 37
advice 234, 235
after 67, 69, 205
against 67, 69
アクセント 115
Alma Mater 176
a lot 264
also 184, 185
am 21, 23, 109, 137, 172, 233
a.m., A.M. 98
アメリカ合衆国 223
an 34, 35, 38, 39, 97
and 36, 149
アンダーライン 36, 164, 247
Anno Domini 103
ante meridiem 98
any 88, 89
「'」, apostrophe 42, 170
アラビア数字 90, 92
are 21, 23, 109, 137
as 206, 207
as...as 208, 209
at 52, 150

B

B.C. 103
be 137, 172, 233, 238
be able to 239
because 120, 121, 206, 207
be 動詞 137, 145, 154
been 172, 238
before 67, 69, 99, 205
before Christ 103
be going to 179
believe 229
better 133
母音 34
文語体 81, 237
but 110, 111
by 55

C

can 105, 140, 178, 238, 239, 240
can not, cannot 79, 105, 106, 240
capital letter 17
直接話法 ... 78
Christian Era, the 103
Christian name 19
colon 63, 99
comma 19, 60, 63, 92, 110, 185, 186, 198, 205, 220
compound sentence 192
could 239

D

ダイアローグ（対話）.... 78, 111
題名 36
代名詞 .... 65〜67, 160, 185, 186, 220
代名詞の一覧表 66
第三人称 ... 24, 234, 236
第三者 24, 47, 77, 81, 136, 222
dash 63
ダッシュ 63
demand 234

301

did 117, 119, 122
do 60, 86, 117, 119, 140
同義語 209
動名詞 134, 144
動詞 .... 29, 47, 60, 115, 117, 125, 134, 141, 143, 144, 147, 154, 156, 159, 161〜165, 177, 183, 196, 197, 199, 200, 222, 228, 232〜234, 236, 241
動詞＋ing .... 144, 162〜164
Dr. 20, 22

E

ed 111
either .... 185〜187
er 128, 174
essential ... 237
est 174
even if 232
ever 170
exclamation mark 17, 60, 63

F

family name 19
Father 23
first name 19
for .... 67〜69
fore name 19
for the purpose of 207
Fr. 23
符号 17
不規則動詞 112, 114, 115
複文 192, 196
複合語 21
副詞 37, 49, 50, 131, 132, 175, 177, 185, 186, 191
複数 .... 20, 31〜34, 43, 47, 51, 88, 89, 94, 136, 173, 241
普通文、普通の文 21, 53, 77, 81, 86

普通名詞 ... 212
future perfect 227
future perfect progressive 227

G

現在 110, 115, 196, 214, 238
現在完了 168
現在完了形 168, 170, 172, 173, 196
現在形 111, 112, 115, 117, 154, 190, 233, 234
現在進行形 .... 141〜144, 151
gerund 134, 144, 145, 148
get 160, 161, 164
疑問文、疑問の文 .... 24, 53, 63, 64, 80, 81, 88, 106〜108, 110, 117, 122, 140, 181, 214, 220, 231
疑問符 63
given name 19
go 163, 164

H

had 179
had to 178, 179
ハイフン 63
has 40
have 30, 86, 179
have to ..... 124, 178〜180, 184
he 24, 136
her 41
here 64
比較級 ...... 128, 130, 132, 174〜177
比較の形 131
比較する文 210
his 41
否定 83, 86, 89, 105, 187, 240
否定文、否定の文 74, 80, 86, 170
否定語 240
否定形、否定の形 76, 77. 80, 81, 86, 110, 150, 214

索引

日、月、年の書き方 101
補語 232
Honorable, the 20, 22
how 107, 108
hyphen 63

I

I 17, 12, 25, 28, 49, 136,
　　　　　　　188, 223
I am glad 218
I am sorry 215
if 232, 233
imagine 229
important 237
in 52, 171
ing 134, 141, 144, 164, 199,
　　　　　　　200
in order that 207
in the year of our Lord 103
依頼 60
依頼文 224
依頼や命令の形 62
is 23, 109, 137, 233
it 24, 28, 65, 136, 150, 216
イタリック体（斜体）.... 36, 247
it is necessary that 236, 237
its 41
引用部分 220
引用文 .... 221 〜 223
引用符 63
引用語 221

J

自動詞 161, 197
時間の表し方 97
時刻の表し方 98
時制 196, 197
重文 192
助動詞 178, 181
状態を表す文 25, 37
重文 192

従属節 196

K

会話文 86
会話体 77, 78, 80, 81, 82, 85,
　　　　　　　185
過去 .... 109 〜 111, 115, 154,
　　　　　　　168, 169, 178, 182, 196,
　　　　　　　197, 214, 222, 224 〜 226
　　　　　　　239
過去分詞 111, 154, 158, 159, 168,
　　　　　　　172, 182,
過去完了 ... 224
過去完了形 196, 197, 224, 226,
　　　　　　　229, 267
過去完了進行形 226
過去形 111, 112, 114, 115, 117,
　　　　　　　154, 178, 183, 190, 196,
　　　　　　　197, 226, 233, 238
過去進行形 226
完了 178, 239
完了形 238
間接話法 ... 78
冠詞 26, 36, 102
感嘆符 63
型 210
仮定 183, 197, 228, 232, 233
仮定文 232, 233
仮定法 233
数の書き方 90
数の尋ね方 95
記号 63
規則動詞 ... 111
句点 63
敬称 20, 22, 23
形容詞 37, 50, 130, 132, 159,
　　　　　　　162 〜 164, 172, 185, 191
　　　　　　　238
口語英語 78
口語体 81, 219, 237
小文字 17, 36, 44, 98, 248

303

肯定 83
肯定文、肯定の文 74, 92
固有名詞 ... 102
コンマ 19
コロン 63
距離を尋ねる 96

L

last name 19
least 176, 177
less 176, 177
let's, let us 167
like 147, 148
ly 49, 50

M

man 57, 291
may .... 181 〜 183
MD 22
命令 60
命令文 224
命令形 139
名詞 47, 67, 130, 134, 136, 144, 160, 177, 199, 200, 241
middle name 19
might .... 181 〜 183
millennia, millennium, millenniums 103
未来 .... 134, 136, 141 〜 143, 151, 178, 196, 214, 238, 239
未来完了形 227
未来完了進行形 227
未来形 139, 143, 179
Miss .... 20 〜 22
Mister 21
Mistress 21
目的語 67, 125, 161, 194, 201, 222
more 128, 174, 176, 177
most 174, 176, 179

Mr. .... 20 〜 22, 84
Mrs. .... 20 〜 22, 84
Ms. .... 20 〜 23
Mses. 23
much 264
無声音 97
must 124, 125, 178, 183, 230
my 41

N

長さを尋ねる 96
neither 184, 186, 187
never 170
「〜に違いない」.... 229, 230
no .... 82 〜 84, 89
nor 187
not 74, 86, 170

O

o'clock 42, 98, 99
of 45, 99
大文字 .... 17 〜 19, 36, 44, 98, 102, 220, 248
on 55, 56, 103, 104
音節 115
or 127, 128, 133, 139, 187
ought to 183, 184
over 56

P

p. 111
past 111
past participle 111, 153, 154, 159
pat perfect 224
past perfect progressive 226
pattern 210, 211
period 17, 21, 22, 63, 99, 220
person 57
please 60
p.m., P.M. 98
post meridiem 98

索引

pp. 111
present perfect 168
Prof. 20, 22
pronoun 65

Q

question mark 17, 63, 220
quotation marks（double, single）
　　　　63, 220～223

R

Reverend, the 20, 22
略語 21, 42
量の書き方 93
量を尋ねる 96

S

's .... 41～43, 45
最上級 174, 175, 178
姓名 18, 19
西暦 42, 92, 103
semicolon 63
セミコロン 63
shall 135, 136, 178, 179, 183
she 24, 136
子音 97
子音字 115
進行形 142, 144, 154, 158, 226
質問の文 ... 24, 25, 80, 86
should 136, 183, 231
省略と短縮 42, 78
所有を表す 41, 42
主語 28, 40, 77, 122, 135, 136,
　　　　　　153, 154, 162, 168, 172,
　　　　　　185, 188, 191, 192, 194,
　　　　　　213, 215, 222, 223, 233,
　　　　　　234
集合名詞 ... 212
主節 196, 197
終止符 17, 63
since .... 205～207

so 212
some 88, 89
so that 207
so...that 211, 212
such 212
suggest 234
数字 91, 96
suppose 229

T

他動詞 161, 165, 267
尋ねる文 70
単文 191, 192, 201, 202, 210,
　　　　　　213
単数 .... 20, 24, 31～34, 40, 47,
　　　　　　77, 81, 88, 89, 94, 136,
　　　　　　233, 234, 241
てにをは ... 17, 191
than 129, 175
that 24, 41, 194, 216, 218,
　　　　　　219
the .... 43～45, 130, 174, 199,
　　　　　　201, 222
their 41
there 51, 52, 56
the same as ... 147, 148
they 31, 32, 136
this 24, 41
till 99
to 62, 65, 99, 151, 165, 166
　　　　　　171, 207
to ＋動詞 ... 141, 151
too .... 50, 51, 184～186
too...to 215

U

受け身、受け身の形 .... 153～158,
　　　　　　173, 190
unable 240
under 55
unless 238

305

until 205
up 171

V
verb 60
very 26

W
want 31
was 109, 110
we 31, 136
were 109, 110, 228, 233
what 70, 121, 140, 204
when 140, 203
where 70, 72, 121, 200, 201
which 127, 128
while 205
who .... 70, 72, 122 〜 124, 140,
　　　　　　　194
whom 123, 124, 194
whose 70, 73, 195, 198
why 107, 119, 121
will 135, 137, 139, 140, 178,
　　　　　　　179

Y
yes .... 82 〜 84
you 21, 28, 31, 65, 136
曜日 102, 104
you had better 231
your 41

Z
前置詞 36, 67

書く英語・基礎編
How to Write English Vol. 1

著　者　　松　本　　亨
検印廃止　　　版権 © 1962, 1978, 2001（第2次改訂版）松本愛子

英友社は語学教材ならびに関連する出版物の商標です。

1962年 5月 1日		初版
1977年 5月25日		22版
1978年 6月15日	第1次改訂初版	
2000年 3月15日		43版
2001年 8月20日	第2次改訂初版	
2009年 5月12日		31版

発行者　　折　登　　洋
印刷所　　（株）理　想　社
製本所　　（株）タケザワ

発行所　　株式会社パイインターナショナル

〒335-0001　埼玉県蕨市北町1丁目19-21-301
電話: 048-433-2693　　FAX: 048-433-2694
http://www010.upp.so-net.ne.jp/eiyu/

無断でこの本の一部または全体の転載を禁ずる。定価はカバーに表示。
乱丁・落丁本はお取り替えいたします。

ISBN978-4-7562-0029-7

松本亨先生の実用英語図書

英 会 話	英語を正しく書く
英 会 話 事 典	書 く 英 語〈基礎編〉
英語のイントネーション	書 く 英 語〈実用編〉
FRIENDSHIP 1〈副読本〉	書 く 英 語〈応用編〉
FRIENDSHIP 2　イディオム200選	これを英語で何というか
英 語 演 説	これをやさしい　英語で何というか
	スペリングの面白さ
英語で考える	英 作 全 集〈全10巻〉
英 語 と 私	
英 語 で 考 え る 本	**英語のまま読む**
英 語 で 考 え る に は　—そのヒケツと練習—	松本亨・私の英語メモ帳
FRIENDSHIP 3　体験・英語で考えるまで	Talks with My Students〈学生との人生問答〉
	私がすすめる英書の読み方
カセット・テープ	ある 学 長 の 死
英語のイントネーション	逃 亡 者
FRIENDSHIP 1	英文・ユーモア作文集
FRIENDSHIP 2　イディオム200選	英語学習者のための　キリスト教入門

松本　亨著
書く英語 実用編
A5判・並製

手紙（社交文）・願書（履歴書，紹介状，推薦状）・掲示・サイン（名刺，電報，広告）などを書く時，ぜひ知っておかなければならない原則が，実例をあげ説明されています。高校上級者以上向。大学生・会社員・商店・ホテル・交通・通信関係の方もご一読ください。

松本　亨著
書く英語 応用編
A5判・並製

英語を書くのは難かしい。でも一度書けるようになれば，これ程楽しいことはありません。「書く英語」基礎編・実用編で定石とルールを修得した方に，直訳法から解放された自由な気持ちで，英語を書く喜びを味わってもらうために書かれたのが本書です。

私は英作が
うまくできなくて困ります

英作とは一語・一語正しく訳さなければならないもの………という妙な先入観をわれわれは持っています。これがあなたの英作の邪魔をしているのです。たとえば上の見出しを英訳せよといえば、大ていの学生が "I am troubled, because I cannot write English composition very well." と書くでしょう。これは忠実な訳ですが，一方で矛盾したことを言っています。cannot write very well は，very well には書けないけれど，ややよく書けるという意味にもなるのです。英作は日本語を英語に直すのではないことを，学生諸君に知ってもらいたい……そのためには，正しい英語そのものを頭の中に蓄積しておかなければなりません。

松本　亨著
英作全集
全10巻

英作全集は松本先生が3年にわたって書き上げた力作です。10題づつ一区切りにしてやっていくのがこの本の利用法です。

第1巻　総括編Ⅰ	第6巻　冠詞編
第2巻　総括編Ⅱ	第7巻　イディオム編Ⅰ
第3巻　動詞編Ⅰ	第8巻　イディオム編Ⅱ
第4巻　動詞編Ⅱ	第9巻　手紙と広告編
第5巻　名詞編	第10巻　英文練習編

英語を学ぶ人たちに贈る
―学習のバイブル

英語教育の第一人者，松本亨先生は，自分の経験を通して「英語は誰でも話せるようになれる」と，確信しています。この本は，先生のその経験を披露したものです。

中学時代から明治学院卒業まで，日本で英語を学んだ体験をはじめ，渡米後の波乱にとんだ英語生活の苦闘まで，先生の英語人生のすべてを，赤裸々に告白しています。「日本人は，英語ぐらいは自由に話せるようになれる素質を，十分に持っている」と先生は断言しています。

英語を学ぼうとする人，英語を学んでいる人，英語を教える立場の人など，すべての英語関係者に読んでいただきたい名著。英語の学び方のバイブルとまで評されています。

松本　亨著
英語と私
36判・並製

英語で考えられるようになるには？
英語の学び方に指針を与える書

英語を完全にマスターする秘訣は，英米人と同じように，英語でモノを考えることです。

希望に胸をふくらませて，明治学院英文科に入った松本亨は，学校で教えてくれる英語が，日本人にしか通用しない英語だと知った時，大きな挫折感に打ちひしがれました。しかし，彼はこのショックを乗りこえて，本当の英語を学ぶ決心をしました。目標は，英語は日本語に訳さずに英語のまま理解すること。それから，英語一筋の明け暮れが始まり，遂に英語で考え，英語の夢を見るまでになりました。

松本英語のルーツがわかる，さわやかで感動的な青春記。これを読んで，あなたも，英語で考えることのできる人になってください。

松本　亨著
FRIENDSHIP 3　**体験・英語で考えるまで**
B6判・並製